堕落のグルメ

ヨイショする客、舞い上がるシェフ

友里征耶

角川SSC新書

はじめに

2003年のデビュー以来、店と癒着せずヨイショ記事も書かず、タダ飯やお車代の誘惑にも負けず、もちろん飲食業界から忌み嫌われても、〝一般客の一般客による一般客のための〟歯に衣着せぬレストラン評論を続けてきた友里征耶。その代償として、名誉毀損で訴えられただけではなく（東京高裁で逆転敗訴確定）、家族への危害や自宅への放火までほのめかされてしまった。そしてそれらの脅迫が友里に何の圧力にもならないと気付いた店主たちが次にとった蛮行が友里への「出入り禁止通達」（出禁通達）でありました。ここまで真っ向から飲食業界に対峙する料理評論家、グルメライターは日本で友里ただ一人。

その友里征耶がデビュー10年を経過して、店やそれを取り巻くマスコミやライターだけではなく、客側を俎上に載せるべしと気付いて企画したのがこの「堕落のグルメ」であります。金儲けに奔りすぎる性悪シェフや癒着評論家、店主を勘違いさせる見栄張り客は立ち入り禁止（出禁）、心底から飲食業界の健全な将来を願う料理人と一般客だけを念頭に書き下ろした内容になっております。

よって本書は２０１３年に話題になった産地や食材の偽装といった飲食業界の「不都合な真実」について一方的に糾弾するものではありません。

熱しやすく冷めやすいのが日本人の習性なだけに、七十五日が過ぎれば世間は忘れてしまうのではないか、食品偽装問題。いや現に年明けて既にこの手の話題が埋没してしまっている感があります。今しばらくの時の経過を待てば、この飲食業界の伝統芸である数々の偽装が復活するのは想像するに難くありません。２０１４年はまた新たな**食品偽装の旅立ち**と危惧する外食好きも多くいらっしゃることでしょう。

しかしこのようなウソは飲食店特有のものではないのです。どんなビジネス、業界でもウソは多かれ少なかれ存在しているのは誰もが知っていることで、例えば営業マンが客先の価格低減交渉に対し弁解する常套句、

これ以上値下げたら赤字になります！

をまともに信じる純粋無垢な人はいないはず。

いやもっとひどいのは営業マンではなくその客先が値下げのためによく使う「他社の方が安いぞ」という脅し文句。

産地や食材をインチキして高い金を取って儲けようとする店が許せないなら、**嘘をついて相手を騙して儲け幅を拡大する行為**も世間から糾弾されて当然であると友里は考えるのです。

他店との差別化をしたいからと考えついた食材偽装。高級食材と偽って安価な食材を提供するのは確かに良いことではありませんが、高くないのに「下げないなら安い他社の製品を買うぞ」というハッタリも、本来道徳的には大きな問題があるはずです。

飲食店には一片の曇りもない正直さを求めてウソを許さず、ビジネスの世界ではウソの氾濫を容認する日本、いや世界常識の不思議。しかしこのビジネス交渉上でのウソを本心から真に受ける人はいないはずです。ですからこのビジネス交渉ではびこるウソを真面目に批判するマスコミも存在しません。

どうせウソだ、ハッタリだ、と思っているから腹が立たないのでありまして、飲食店のウソも本来なら同じように流してしまってもよいのではないでしょうか。

飲食店が言っていることの多くがウソやハッタリとあらかじめ自覚していれば、マスコミ、いや国を挙げてこの食材偽装を大騒ぎして糾弾することはないのであります。

普通のビジネスでは許されて飲食業界では許されない、相手とのウソを交えた交渉テクニック。ビジネス界と違って飲食業界の地位がまだまだ低すぎる、軽く見られている、という証左であると友里は考えます。

またこのウソをつかれる側に対する世間の見方もおかしい。

食材偽装では、騙された客はまったくの被害者。食事代の返還を受ける人までいましたが、ビジネス交渉で本当は高くないのに「高い」と言われて儲けを減らして値下げした営業マンや会社、世間は

アフォだから騙されるんだ

世間知らず

とバカにされることはあっても、被害者扱いはされません。もちろん、値下げ後の差額の返還なんてあり得ない。

でも逆に、飲食店が変に恵まれた対応を受けるケースもあるのがおもしろいところ。

例えば接待について。ビジネスの世界では、売り手側がお客を飲食や付け届けで手なず

けて関係を有利に運ぼうとするのが一般的です（購入側が安く買いたいと仕入れ先を逆接待するということも想定できますが非常に希）。ところが飲食店にはこの常識は通用しません。人気店や有名店に限定されるかもしれませんが**客が店主に付け届け&飲食接待するのが当たり前**とまったく正反対の現象が見受けられるのです。

皆さん、こんな場面に遭遇したことはありませんか。店のカウンターに座って食べていたら、後から入ってきた常連らしき客（店主に馴れ馴れしく話しかける人）が**大将、これっ、どこそこで買ってきたお土産**と手渡す光景であります。また高額店で**常連客に連れられた有名店主**を見かけることもあるのではないでしょうか。かく言う友里も、客単価が5万円を軽く突破する高額店で常連客と思われる人に囲まれた有名店主に何回も遭遇した経験があります。

まず友里の本業から考えても、客が仕入れ先を接待するということはよほど密接な関係にならないとあり得ないことですから、飲食業界（音楽家やスポーツ選手にも言えますが）の特殊性がおわかりいただけると思います。

本書は、規模は大きくないとはいえこのビジネスの世界で生業を立てている友里独自の視点で、飲食業界について今までと違った切り口で述べることを目的としました。

飲食業界もビジネス界も同じ客商売、イーヴンで対等な立場であるという前提条件。

店との正しい付き合い方や客として心がけなければならない点についての考察をベースに、飲食店だけではなく客に対しても自戒の念も込めて指摘していきたいと考えたのです。

店主のトークの大半はウソと思え。料理だって偽装食材がてんこ盛りだぞ！

客を装った口コミサイトのプロレビュアーや店癒着のライターたちに釣られるな！

グルメ界を破壊する関西人の暴走を止めろ！

ビジネスの世界と同じく、飲食店と客の関係にも駆け引きが存在しているのです。

世に氾濫しているヨイショライターやステマの店推薦に踊らされることなく客自身も意識をあらためて、飲食店との大人の関係を築くことにより両者が互いに切磋琢磨、向上することが、本書の望みであります。

２０１４年３月

友里征耶

堕落のグルメ

** ヨイショする客、舞い上がるシェフ **

目次

目次

はじめに　3

第1章　店主はいつも性悪だ！　15

性善説を信じる無邪気な日本人
カード会社に個人情報流出依頼をした店主
家族への脅迫をちらつかせた元・カリスマ和食職人
家族の次は、放火を匂わされた！
脅迫から出禁に戦術変更
職場に殴り込んできた、巨体小心鮨職人
訴訟をちらつかせ、追い返してきた鮨店主
天下の3つ星フレンチからの出禁通達
大事なのは自分だけ、他人のことは関係ない

第2章　脳天気国民に巻き起こった「偽装騒動」の顛末　45

これが世の真実、性悪飲食業界の裏側だ
ある店主が語った「偽装」の真実から考える
「高級偽装」「肩書き偽装」で一大ブームに
人気店に成り上がる手っ取り早い手段「予約困難偽装」
そもそも偽装するほど価値があるのか「天然偽装」
絶対に見破れない「産地偽装」
未来永劫続く「偽装」といかに付き合っていくか

第3章　飲食店のわがまま慣習を法に問う　75

飲食業界のやりたい放題を法律は許すのか？
出入り禁止を法に問う
店の〝ドタキャン補償〟を法に問う
支払い・メニューを法に問う
経営方針を法に問う
結局、法では解決しない!?

第4章　飲食店の〝不都合な真実〟に対する店主の本音　97

飲食店の性悪行動について
飲食店は客をどう見ているのか？
強烈個性が想像される関西人（客と店）について
料理人の虎の穴？　疑問の調理師学校について
店主の本音から見えた、グルメの破壊者たち

第5章　好待遇を求める一見客やスレた常連客の弊害　131

「モンスター客」がグルメを壊す
〝貧乏人〟が高額店を劣化させる
シェフのブログ炎上から垣間見える〝貧乏客〟の心理
平等思想が高額店を劣化させる　①一見客
平等思想が高額店を劣化させる　②下戸
一見客が「良い扱い」を受ける術はあるのか
勘違い常連客の〝店破壊〟
「良い客」と「悪い客」の境界線はどこだ

セミプロレビュアーたち、人としての誇りはないのか

第6章　グルメ界をぶち壊す〝関西業界〟 153

〝関西気質〟にグルメ堕落の本質を見た！
関西人は実は〝濃い味〟がお好き
関西人の異常習性①　ワインの持ち込みに命を賭ける
関西人の異常習性②　同じ店に大勢で群れる
関西人の異常習性③　本場や本物なんぞどうでもいい
関西人の異常習性④　量さえあればあとはＯＫ
関西店主の悪行①　性悪店主の店がなぜ流行るか
関西店主の悪行②　あっという間の撤退を恥と思わない
〝食の総本山〟京都の実態
関西飲食業界に未来はあるのか

客と店の〝キレイごと抜きの〟関係　〜あとがきにかえて〜 179

第1章　店主はいつも性悪だ！

性善説を信じる無邪気な日本人

飲食業界から忌み嫌われる「友里征耶」という稼業を始めて10年が経過しました。よく言えば検証精神旺盛、単にヘソが曲がっているだけですが、そんな友里の数少ない読者でも、たまに見受けられるのが〝純粋無垢〟な考えの持ち主（早い話が世間知らず）です。この〝純粋無垢人〟、友里読者でなければかなりの確率で存在しているのではないか。

彼らの最大の特徴は「性善説」の信者であるということ。友里に言わせると単なる妄想なのですが、この理想主義者が多すぎるのが日本国の良いところでもあり最大の弱点であります。特に友里が違和感を抱くのが以下のフレーズの誤解釈。

騙すより騙されろ。

確かに人を騙すのは良くないことではありますが、世の性善説論者はこのフレーズを

騙されてもかまわない。

と受け取ってしまっているのです。

最近のどこそこの県知事の公約違反を挙げるまでもなく、上は政治屋の公約違反から当

局（司法や警察）の隠蔽、そして未だに蔓延する振り込め詐欺まで、日本国民は騙されっぱなしの歴史を歩んでいると断言しても過言ではありません。騙さないだけでなく、騙されないという自己防衛を日本人はなぜとらないのでしょうか。これはひとえに日本人のDNAに染みついてしまっている「性善説」が原因であると友里は考えるのです。

女性駐米大使の就任で、アメリカが日本を「大事に扱ってくれるようになる」との大マスコミやコメンテーター、そして多くの日本国民が喜んでしまったお笑い。友里に言わせると、世界の〝自分勝手〟であるアメリカが、極東の島国に赴任した大使の意見を聞いて、方針を転換するはずがない。

ここにアメリカ人の性向を端的に語る例えがありますので紹介させていただきます。

アメリカ人、政治家や金融界で大儲けしている富裕層など熱心に日曜に教会へ通っている人が多い。収入の一定割合を教会へ寄進するシステムも完成されていると聞きますが、そのアメリカ人の告解（俗に言う懺悔）についての小話です。

告解（懺悔）とは、己が犯した罪を聖職者へ告白して、神からの赦しと和解を得ようとする信仰儀礼でありますが、なぜアメリカ人は日曜に懺悔をするのか。それは

また次の日（月曜）から悪いことをするため

なのだとか。人間なんてアメリカ人に限らずこんなものです。

放っておけば己（自国）の利益のみを優先するわけでして、それは日本人も同じ。利権に群がる政財官が跋扈しているのがその証左であります。

これでも性善説を信じたいのか。オメオメと騙され続けて良いものなのか。ヘソが曲がっている友里は性善説を信じる脳天気な日本国民に大きな苛立ちを覚えているのです。

本来国民を第一に考えるべき政治屋や官僚、取引先や客を大事にすべき大企業のお偉方ですら、日頃唱えている「社会貢献」と裏腹に己の利益を最優先に追求しているくらいですから、客本位ではない飲食業界に棲息している店経営者や料理人が聖人君子であるはずがない。世に例外というのは非常に希なのです。

例えば数年前から飲食業界へ殴り込みをかけてきた中古本販売チェーンの元創業者、古巣を追われた理由の1つが「仕入れ業者からのリベート問題」と聞いたことがあります。そんな資質の人が始めた飲食店チェーンが、TVなどでバンバン宣伝されて客が殺到してしまうのですから驚きであります。

その他にも、普通の飲食店でもパワハラ、セクハラが厨房内で蔓延していると漏れ聞くだけに、飲食業界は性善説が適用される夢のような世界ではないのです。
いや飲食業界だけでの問題ではありません。いわゆるグルメ業界、つまり飲食店に寄生するヨイショライターや料理評論家、フードコラムニストたちを擁する出版社やＴＶ業界、そしてそれに群がる放送作家やＴＶ局と連携する調理師学校などなど。彼らは性善説を信じる純粋無垢な一般人を食い物にして成り立っているだけに、その対処法はただ一つ、

グルメ業界は性悪とまず決めつけるべし。

清濁併せ呑むだけでは不十分、濁ばかりを呑むというくらい思い切って飲食業界と向かい合うことが必要でありましょう。

カウンターに座っている客の目の前で若い衆を蹴り上げる。厨房で弟子の頭を包丁の柄でこづく。偽装と同じく飲食業界のお家芸と言われるパワハラは、未だに生き残っているのではないか。しかしこのことで飲食業界は民度が低いと断定するのは間違い。こう書いては怒られるかもしれませんが、尊敬の念で見られがちなクラシックの師弟関係でも、実態はセクハラのオンパレードで、その犠牲になった女性音楽家は枚挙に暇がないはず。何も暴力やハラスメントは飲食業界だけの専売特許ではないのです。

ただし業界内を飛び越えて、例えば（飲食店が）生業を成り立たせてもらっている客にまでその矛先を向けてくるのはいかがなものでしょうか。

これから、客として予約し自腹で支払った友里が遭遇した、３種の脅迫・ハラスメントを紹介することで、立証していきたいと思います。

カード会社に個人情報流出依頼をした店主

あれは友里征耶としてデビューした直後と記憶しておりますから２００３年のことだったか。ある晩、当時使用していたカード会社から、自宅に電話がかかってきたのです。

（デビュー本に掲載した）●●という店から問合せがあったので連絡先を教えて良いか。

個人情報の漏洩に厳しくなかった頃だからこその問合せでありまして、現在ではこんな内容をカード利用者に伝えることはあり得ない。当時は今と違って何事も緩い、暢気な時代だったのです。

この店、週刊誌で食材偽装を問題視された店を堂々と誌面で告発した店主の店でして、今はミシュランの星がなくなったようですが、プラチナ通り裏で（以前はプラチナ通りに面していた）業界人などに人気のお忍び系創作和食でありました。

カード会社が言うには、店主が「食べた料理以上の代金をもらってしまったので返金したいので連絡先を教えてくれ」と言ってきたとのこと。すかさず友里は、住所や電話番号を特定し文句を言いに来るつもりだと気付いたのです。

当然ながらそんな申し出をオッケーするはずがなく、カード会社には「返金したいならカード使用料を相殺すれば簡単に終わるから教えるな」と念を押して電話を切ったのです。

考えようによっては頭脳的な情報収集活動でありましたが、店主の思惑どおりには事が運ばなかった。でも、しばらくして友里の携帯にこの店主から電話がかかってきたのです。本に書いてある料理内容から友里とわかり、必死に記録から当該しそうな電話番号を探してたどり着いたとのこと。その努力には脱帽したのですが、彼の話はカード会社が言っていた「返金」ではありませんでした。

この店を取り上げたデビュー本では、隣りに遭遇したうるさいグループ客にも言及していたのですが、その人たちの弁解をしたいから住所を教えてくれとの不自然な要求。弁解など必要ないし気にしてないからと適当にあしらっていたらこの店主、急に〝着物を脱いで鎧を見せてきた〟のであります。その骨子は

自分の周りには（友里に）不満を持つ料理人が何人もいる。皆で押しかけたいから住所を教えろ。

ついには団体交渉をちらつかせてまでの脅迫と解釈できる行動に出てきてしまったのです。訴訟も辞さずとも息巻いてもおりましたっけ。

それからしばらく、携帯に何回か同じような内容の脅迫電話がかかってきましたが、そのたびに文句があるなら公の手続き（訴訟）で対応するよう突っぱねることを繰り返し、やっと店主は諦めたのか連絡が途絶えたのであります。

店主の憂さ晴らしで終わって面倒な訴訟にならなかったのは幸いでありましたが、10年経った現在も、取り過ぎたという代金の返還がなされていないことをここに申し上げます。

家族への脅迫をちらつかせた元・カリスマ和食職人

その脅迫もやはり携帯への着信から始まりました。ある年の11月ごろでしたか、身内の休みを利用しての海外旅行期間中に、当時はマスコミ露出も多かった西麻布近辺の有名和食料理人（どこかの人気球団の永久監督から頼まれて、アテネまで侍ジャパンの料理を造りに行っ

ていましたっけ）からいくつもの留守録が入っていたのです。その内容もやはり、

文句が言いたいから会え！

海外旅行で対応できなかった友里に業を煮やしたのか、近所の地中海&中近東料理で知られる女性シェフを使って「友里は逃げている」と彼女のブログで発信させるまで、その攻撃はエスカレートしていったのです。

そもそも友里が手厳しくその店を批判したなどのきっかけはなかった。悪評高い友里を「懲らしめてやる」と仲間内で大見得を切ったというのが面会要求の動機ではなかったか。

帰国後にこのことを知った友里、卑怯者呼ばわりは心外でありますからその料理人を知るワイン仲間と３人で、ある和食店の個室で会合を持ったのは言うまでもありません。マスコミ露出ではいつも笑顔を絶やさない料理人でありますが、近くで見ると目は笑っていない。そしてその料理人が発した脅しに友里は大反発したのです。

「住居を突き止めている」「お子さんも含めた写真を撮って支店にも回している」「私のバックには●●さん（同じく有名な廉価イタリアンシェフ）の誕生パーティーに集まる１００名近くの料理人がいる」との前置きから始まっての結論は、

血の気の多い衆が多いので、お子さんは気をつけた方が良い。（要約）

なんと、どこへ出しても恥ずかしくない真っ当な「脅迫」をしでかしてしまったのです。談判の最中には、3人だけだと約束していたのを反故にしてリークしたのか、納戸町のミシュラン2つ星フレンチシェフまで個室へ乱入しそうになりました。

その場では丁寧に「その発言は立派な脅迫が成立するから、店のオーナー（実際のところ彼は単なる雇われ料理長）にも問題が波及して大変な事になりますよ」と返して場を収め、とりあえず料理人の〝頭下げ謝罪〟で〆となったのです。

後日、何回か彼が働く店のオーナーとも会食したところ、マスコミに人気のその料理長でもっている店だけに厳しい処置がとれないとのこと。支店も含めて〝総料理長〟にするはずだったがしばらく見合わせることと、謝罪文を提出することで勘弁してくれ、との結論になったことをここに開示させていただきます。

家族の次は、放火を匂わされた！

3つ目の脅迫は携帯でだけのやりとりでありました。西麻布近辺の和食系の料理人（白金辺りの居酒屋系出身）からのもので、まずはコラムを掲載した夕刊紙へのクレーム電話。

担当者ではらちがあかず、友里にその処理役が回ってきてしまった。

そのコラム、内容的には別に問題があるとは思えなかったのですが、「出汁が甘ったるくて大味好きな有名クリエイティブ・ディレクター（元電通マン）が褒めていたわけだ（要約）」と表記した箇所が気に入らなかったようでした。店前に置いてあった「白だし」のペットボトルについて書いてしまったのも火に油を注ぐ結果になってしまった。店主は出汁を店内で引いていないとの疑惑を恐れたのでしょうか。友里が対応した時はすでにかなりの怒り狂いようであったのです。ついには**良いところに住んでいますね。火をつけてやりたい。**（要約）

これまた正真正銘の脅迫であります。もちろん冷静に、「それは脅迫に値するから大変なことになるよ」と教示したのは言うまでもありません。

なんでも店主は、その元電通マンにも相談してのクレームだと言っていましたが、後日メールでその元電通マンに確認しましたところ、「そんな連絡はなかった」とのこと。どちらがウソをついているかは、神のみぞ知ることでありましょう。

最後に店主は「あの出汁の素は隣の店のものだ」と言っておりましたことをここに付け加えさせていただきます。

脅迫から出禁に戦術変更

何人かの料理人からここまで脅迫されてわかったこと、それは「正体が飲食業界では完バレしているな」ということです。

まだデビューして数年しか経っていないころでしたから、将来的に身内も含めてどうなるのかと心配になりましたが、毅然とした態度をとったのが良かったのか、その後の反発する料理人たちの攻撃は、脅迫から「出入り禁止」へと戦略の変更となってきたのです。

それにしても反発する料理人の脇の甘さには毎度の事ながら唖然。誰が聞いても納得の「脅迫」を平気で口に出すのですから驚きです。友里が刑事告訴の手続きをしたら、店の存続に赤信号がつくということがわかっていないのでしょうね。飲食業界は法的知識（正確には世間常識ですか）が不足しているとの結論に達したのであります。

さて飲食業界の対友里戦略が脅迫から出入り禁止（出禁）に変更されたのは2005年ころからでありましょうか。それ以降堂々と名乗っての脅迫を受けた記憶がありません。

その代わり、追い返されるという〝直接的出禁〟だけではなく、常連客や友里の食べ仲間を通して「来てくれるな」と伝えてくる〝間接的出禁〟が主戦法となってきました。
ここからは直接的出禁を宣告してきた3店について述べたいと思います。

職場に殴り込んできた、巨体小心鮨職人

あれは2005年の初冬のことでした。友里と連れ（もちろん女性）が京都は祇園の店で食事をしていたと思ってください。その店とは、マスコミだけではなくネットへの露出も極力避ける1年先まで予約が入らないと言われる超人気店。当時は一部の人にしか知られておらず割と簡単に予約を入れることができた紹介制の店でありました。
友里も読者から噂を聞きつけて年に数回通っていたのです。その夜も比較的無口な主人や女将と店談義などをしていたのですが、会話の中でふと女将が
そういえばこれから、東京の有名なお鮨屋さんが来る
と呟いたのです。このおいしい情報を友里が聞き逃すはずがなく、すかさず店名を聞いたところ、当時は自分の会社が近いこともあって、友里は夜だけではなく昼もたまに行っていた新橋の鮨屋であったのです。

都内ではなく京都、しかも新幹線の最終便が終わった時刻での女性同伴。会社近くの店主にこの実態を見られて変な誤解を与えては拙いと、食べるピッチを上げたのは言うまでもありません。

おかげで食べ終えて店をあとにするまで、鮨店主の入店はなかった。そして祇園の路地をそそくさと歩いてタクシーに乗り込んだのです。しかし、まさかその場面を鮨店主が、

巨体を隠してじっと見守っていた

とは夢にも思わなかったのであります。

巨体を隠した鮨店主（別に隠していなかったのかもしれませんが）に目撃されていたとはつゆ知らなかった友里、年が明けた1月に、いつものように日中フラフラと出歩いてから会社に戻ったら、社員がにじり寄ってきて小声で「巨大な人が社長を訪ねてきて、これを置いていきました」と数枚の紙（封筒に入っていなかった）を手渡したのです。

常連客からもらったのか、彼の店に触れた友里のコラムを打ち出した紙の裏に鉛筆で殴り書きしたもの。本人は手紙のつもりなのでしょうが、「先生、どうも!!」という、おちょくった書き出しでのスタート。内容を要約しますと

こんな所に（友里が）勤務しているのを知って〝うれしさのあまり〟手紙を書いてしまった。

自分の周りの同業者と一緒にありがたい指導を受けにうかがいたい。
京都で見かけたけど、女性と一緒だったので声をかけなかったが無視したわけではない。

これを受け取った側がどう解釈するかと言いますと

正体を突き止めたぞ！
いつでも大勢引き連れて乗り込むことができるぞ！
女と密会していたのを目撃したぞ！

と〝かまし〟を超えた〝脅し〟にも近いものとなるのではないでしょうか。

どちらかというと肯定的にその店を評価していただけに、この突っかかりに驚いてしまった。思い当たるところと言えば、「彼の弟子の京都出店に疑問符をつけた」「彼の修業先を『鳶が鷹を生んだ』など辛口で評価した」くらい。いや、あとで読者から聞いたのですが、コラムで彼を「恰幅がいい」と書いたことを根に持っていたとの話もありました。

でも料理人からの脅迫にも屈しなかった友里です。こんな礼儀知らずの殴り書きでびびるタマではありません。大勢で押しかけて何をするつもりなのか。殴られるのはいやですが、そんなことをしたら店は閉店に追い込まれます。また連れの女性ですが、友里は女性たちと海外のワイナリーやレストラン巡りをするくらいオープンですから、京都での女性との食事も珍しくもない。しかも食事以外の現場を押さえられたわけでもありません。
そこですぐさま翌営業日の昼に、件の女性をわざわざ呼び寄せて、一緒にその店で鮨を食べようと、オープン直後に入店したのであります。
店内は客が一人もおらず、飛び込みでしたがスタッフの女性が席を引いてカウンター席に座るように誘導してくれました。が、ここから事態が一変。友里の会社を知って「うれしい」と書いた鮨職人でしたが、その時初めて友里の顔に気がついたのでしょう。顔色が変わってうつむき加減になり、巨体に似合わぬ蚊の鳴くような小さな声で
予約が一杯なので帰ってください（要約）
と言い出したのです。なにやら変なノートまで取り出して指さし、「帰ってください」を連発。スタッフが席を引いたのですから、予約が一杯でないのはわかっていたのですが、営業妨害で訴えられてもかなわないと思い、
うれしいというからわざわざ食べに来たのに残念だ。
外で待機して、本当に予約客で一杯になるか確認するようなことはしないよ。
と言って店をあとにしたのであります。
これには後日談がありまして私が店を出たすぐあとに、友里の読者が偶然〝飛び込み〟

入店してしっかり食べることができたとの報告がありました。

でもこの時の「予約一杯でお帰りください」は真の意味での出禁ではありません。予約一杯で座れなかっただけと友里は良い方に解釈したからです。ところがその年末、どこへ出しても恥ずかしくない出禁を経験することになったのです。


２００６年の師走のこと。友里征耶が女性3名と金曜（はっきり書くと12月22日）の20時15分に、その鮨屋入り口に立っていたと思ってください。

まずはなぜ、女性たちとひと悶着あった鮨屋へ行くことになったのか説明します。

この女性陣、友里の食べ仲間でありまして、カリフォルニアのワイナリー巡りまでした仲でもありました。世の中はクリスマスシーズン真っ只中でありましたが、女性陣、実は仲間内4名でこの鮨屋を予約していたそうですが、1名が急な都合で行けなくなり空きが出たので参加しないかとの誘いが友里に来てしまったのです。天下のクリスマスシーズン。しかも金曜という週末で普段から女性との幅広い交際を公言して憚らない友里、この一大イヴェントの夜にドタキャン要員として扱われて気分が良いはずがありません。でも残念ながらその日のスケジュールは空白でありまして、仕方なく、いや待ってましたと引き受けてしまったのであります。

ただし、巨体ながら小心のはずだと鮨店主の性格を読みまして、3人には「行っても入店を断られる可能性があるかもよ」と断りを入れておりました。

小心者の性格は変わらないのでありましょう、結果は悪い予想通りと言いましょうか、すぐに友里の顔を察知して血相を変え、他の客がいるというのに

出て行ってくれ!


を他の客に聞こえる声で連発しまくったのです。そこですかさず「前回は空いていたのに『予約で一杯』と断られたから、今日は堂々と4名で予約して来たんだよ」と言ったのですが、「出ていってくれコール」のトーンは上がるばかり。

偶然だと思うのですが、巡回中の警官が店内に入ってきまして、このもめ事に関わられたら面倒と思い、渋々店から出ることにしたのです。ところが想定外のことがその直後に起こってしまった。

颯爽と店を出た友里、でも後ろに女性3人がいないのにすぐに気付いたのです。なんと3人ともちゃっかりカウンターに座って鮨を食べようとしているではありませんか。

当然ながらその夜は、クリスマスシーズン週末の素晴らしい一人飯として、生涯の記憶

に残る思い出となったのです。

訴訟をちらつかせ、追い返してきた鮨店主

物語の発端は、「東京郊外の人気鮨店の〝弟子〟を自称する大阪の寿司屋が人気のようだ」と聞いた2009年。さっそく大阪に向かい関西の食べ仲間と訪問したのは言うまでもありません。そして食後感は予想通りというか期待通り。ブログなどで、「大阪という〝鮨不毛〟の環境に恵まれ繁盛しているだけの店」という評価をしたのです。

その鮨店主は、やがて大阪から東京郊外へ上京してきたのですが、友里は調子に乗って店名を揶揄して「まずい」と表してしまった。

これを知った主人の怒りは相当なものだったようで、関西の知人から「怒り狂っている」との情報を入手。検証精神旺盛な友里は本当に怒っているか確認するために、よせば良いのに、震災を機に鮨店主が東京撤退する数日前に再度の訪問を企てたのであります。

まずは、その郊外鮨店（師匠の店跡に入っていた）のドアを19時に開けたと思ってくださ

い。閉店まで残り数日ですから、名残を惜しむ〝真の江戸前鮨を知らない〟信奉者たち（はっきりいうと鮨音痴）で熱気を帯びていると予想したのですが、なんと客は純粋無垢そうな老夫婦が1組だけと、それは寂しい店内であったのです。

しかしこの鮨店主、サービス業としての適性に欠けているのか客のことを一番に考えないお方。19時の予約でしたが、早めに最寄り駅に着いたので30分前に行って良いか確認の電話をしたのですが、「準備ができていない」とのことであっさり拒絶されてしまった。そう言えば前回の訪問時も、18時30分の予約で18時過ぎに着いてしまいドアを開けたところ、「予約時刻までダメだ」と店内にも入れてくれなかった。

食べログなどでは「17時オープン」となっていただけに不思議というか頭にきたのですが、2回目の時間前入店拒絶で真相がわかったのです。それは「客が少ないのでバラバラと来られると面倒」。一度に片付けるため同時スタートにしたかったのでありましょう。

福島原発の事故で再度店を関西へ移すというのが常連客（鮨音痴）に語った店仕舞いの表理由でありましたが、大阪と違って東京の地には鮨音痴（常連になってくれる客）が少なかったのでわずか1年での東京撤退と友里は読んだのです。

さてその老夫婦から2席空けて座った友里たち。頼んだビールの小瓶を飲みながらツマミを待ったのですが鮨店主は隣の老夫婦向けの刺身を1枚包丁で引いてから、何を思ったのか急に奥の厨房へ消えていってしまった。漏れ見るところ、女将らしき人と奥でなにやら話している様子。ここで嫌な予感がしたのです。

正体がバレて女将と協議しているのかと心配しながらまな板の上に放置された刺身1片を見つめること10分。このままでは乾いてしまうと心配したのですが、戻ってきた鮨店主が私に問いかけた言葉、あまりのダイレクトさに椅子から転げ落ちそうになってしまった。ずばり「友里さんですね」と恐い顔をして喰ってかかってきたのです。

覆面を自称している友里であります。友里かとダイレクトに聞かれても「はいそうです」なんて答えるわけにはいきません。本名は認めましたけど。

そして鮨店主は再び奥へ引っ込んで行きました。しばらくの沈黙があったでしょうか、やっと鮨店主は炙ったカツオを抱えて出てきたのです。そしてマナ板に投げつけるようにカツオを置いて、さらなる突っ込みをしてきたのです。

よくあんなこと書いて来られるな！（要約）

段々と声も大きくなって来ましたが老夫婦はきょとんとしたまま。まな板に放置された刺身一片もそのまま。ここで鮨店主は、放置された1片に気付いたのか、サクから刺身を引き、その残された1片も含めて老夫婦に出し始めたのであります。

カツオ投げ出し後も押し問答がありまして、次に鮨店主から出た言葉が驚きの

訴訟を考えている（要約）

という発言。

でもマナ板に放置されたカツオはまだそのまま。友里の訪問のおかげで、せっかく名残を惜しんで訪ねてきたリピーターと見える鮨音痴の老夫婦がこれからも「放置されたカツオなどツマミや握り」を食べることになるのは夢見が悪い。これ以上老夫婦に迷惑をかけるわけにいかず、さすがに潮時かと友里は撤退を決めたのであります。

ただし、訴訟と言われてそのまま出ていったら「日本広しといえど訴訟問題を語れるグルメライターは友里ただ一人」というメンツが丸潰れ。アンチや飲食業界から逃げたと言われるのは癪ですから

今までそう言ってやってきた（訴訟してきた）人はいないんですよ。

という返しをさせていただきました。

大阪在住の情報筋から漏れ聞くところ、この店主の実家は裕福だから訴訟費用なんて簡単に捻出できるとのことでしたが、現在まで特別送達をビクビクしながら待つこと2年以

上。未だに訴状が届いていないというオチで、〆させていただきます。

天下の3つ星フレンチからの出禁通達

最後の出禁（追い返し）は鮨屋ではなくミシュラン３つ星フレンチでのこと。あれは２０１２年の10月12日でありましたか。どこへ出しても恥ずかしくない追い返しを体験したのですが、実はその1年ほど前にすでに予兆はありました。

その日は台風が東京を直撃して都内の交通が大混乱。食べ仲間３人との訪問だったのですが、店にたどり着いたのは予約時刻の30分過ぎでありました。ウェーティングでタオルを借りて服を拭きながら待っていたのですが、拭き終わっても席へ案内されず座ったまましばし待たされてしまった。実はこの時の予約は友里ではなく同伴者の名前。連絡先も、店側に知られている友里の携帯番号ではなくその女性のものでした。なぜ友里は直接予約しなかったのか、それには訳がありました。やばそうだとの勘が働いたからなのです。

さらに遡ること2年ほど。知人夫妻とこの３つ星フレンチを訪問した時のことでありました。それまでは年に数回、少なくとも1回はこの３つ星フレンチに訪問しておりまして、店側は友里がシェフ唯一の得意技である「低温ロースト」を好んでいないことに気付いていたようなのです。だからかその夜のメインは得意の低温ローストものではなく、気を利かしてくれたのか「オックステールの煮込み料理」という特別料理が出てきました。普通の客ならこれで舞い上がり3つ星シェフを絶賛するのでしょうが、実際に口にしましたところ〝食べるのが困難なほど〟おいしくない。

特別待遇を要求せず、たとえその特別待遇を受けても冷静にシビアに評価するのが正直な友里の大方針でありましたから、直後のブログなどで

造り慣れない煮込みもペケ（要約）

と本当のことを書いてしまった。

初訪問以降ワンパターンな低温調理はともかく、異能というか才能の片鱗を少しは感じていただけに、もっと良くなるはずと成長を期待して訪問し続けていた友里。が、シェフは度量が大きい方ではないと同業者から漏れ聞いていただけに、しばし訪問を控えておりましての、嫌な予感が働いての、その後の同伴者名予約だったのです。

結果的には、台風直撃の日のディナー、気まずいなか同行者の1人がその3つ星フレンチのソムリエと旧知の仲で、なんとか無事食事を終えることができたのです。

そのように薄氷を踏むがごとくの3つ星フレンチでの食事でしたが、友里はその後もスタンス不変の立場から、

低温ローストは誰でも失敗しない楽な調理。
低温ローストは日本だけで本場パリでは時代遅れ。
シェフはソース造りを習得するべき。

と発信を続けたのですから、我慢の限界を超えたのかもしれません。

そして連れに誘われてのことでしたが、結果的には出入り禁止になっているか最終確認するための訪問となったのが、2012年10月のことだったのです。

結果はウェーティングで追い返し。「出禁通達」を受けてしまった。

ウエーティングに案内してくれた若いメートルは友里を知らなかったのですが、奥から出てきた支配人が友里を確認して表情をこわばらせすぐさまその若いメートルを呼び寄せホール奥へ。この段階で友里は追い返し→出禁を確信したのですが、その出禁通達は1年前にホールへ入れてくれた大阪出身のソムリエであったのです。

●●さん（友里の本名）を満足させる料理は出せないのでお帰りください（要約）

とのシェフからの伝言を聞いて、ソムリエを困らせても仕方がないとほとんど抵抗せず店を出たのであります。

もちろんそれから1週間あまり、友里ブログでこの出禁の詳細や低温調理の問題点を取り上げ続け、憂さを晴らさせてもらったのは言うまでもありません。

大事なのは自分だけ、他人のことは関係ない

辛口評論家という特殊な条件下での体験ではありましたが、「グルメは性悪説で捉えるべき」という真理の一端をご理解いただけたでしょうか。

きちんと自腹で支払っている客を脅迫するという蛮行。しかも身内への暴行や放火を示唆する内容という、一般社会人なら絶対に吐くことのない脅し文句を平気で言う店主たち。一歩間違えなくとも、立派に脅迫罪が成立してしまうではありませんか。

出入り禁止も、店主たちは己の権利と考えるかもしれませんが、予約が成立しているにも関わらずの当日の店内からの追い返しは社会人常識として許されるのか。しかも他の人(ホスト)の予約であるのにです。常識人なら、その場は我慢して凌ぎ、帰り際にでも「次

回からは遠慮してくれ」とやんわり断るのが大人の判断だと友里は考えるのです。
彼らは前もって出禁を開示しておらず、友里個人にも通告していないのですから、これは立派な契約不履行ではないか。
最近グルメ店主たちが主張している、キャンセルした際の補償金請求の権利。確かに土壇場でのキャンセル（ドタキャン）は店にとって売上げ（利益）が減りますから痛い。客としてもよほどの切迫した事情がない限りやってはいけないものでありますが、それでは店側の「土壇場の追い返し（ドタ出禁）」はやって良いものなのか。言葉は汚くなりますが、

テメーの土壇場を嫌がるなら、客の土壇場にも配慮しろ！

前述のように、友里は鮨屋での追い返しでは寂しいクリスマスの一人飯、フレンチでは慌てて代わりに入店できる店を探し回る羽目になったのです。土壇場追い返しは客にとって大きな迷惑になるという現実を、料理人たちには理解していただきたいと考えます。

ところで、このようなアメリカもビックリという店主たちの自分勝手な思想はどうして形成されてしまったのか。それは「客の料理人たちへの甘やかし」が原因であると断言して問題がないと考えます。ファミレスや居酒屋など廉価な店では見られないですが、ある

程度の客単価を維持する高額店を見てください。カウンター主体の店（和食に限らず）ではほとんど例外なく「客が店主に媚び売っている」光景に遭遇できると思います。

どこかへ旅行に行ったのでしょうか手土産持参、はたまた料理人を連れ出しての高額店食べ歩き。食べ歩きは料理人として経験を積む上で必要でしょうが、銀座の高級クラブへ連れて行く必然性はあるのかどうか。かく言う友里も、滅多にありませんが手土産や外食を共にする機会がたまにあります。しかし彼ら店主たちは、タニマチに連れられるごっつぁん相撲取りではないのです。料理人たちへの「タダ飯振る舞い」の常習化は、当人たちを勘違いさせるには大きな威力を持つもの。このような状態（接待しまくられ）になったら友里でも「俺は偉いんだ！」との思い込みに陥ってしまうかもしれません。

この一般客の料理人への媚びへつらいだけでも大きな弊害をもたらすのですが、さらに輪をかけるのが高額店に棲息する富裕層や自称セレブたち。有名な高額店へ行ってみてください。何人かの客に店主が「センセイ！　シャチョー！」と呼んでいるはずです。

こんな事を書くと差別と怒られるかもしれませんが、店主たちは作家や予備校の講師などの「センセイ」に話しかけているのではありません。もちろん友里のような零細企業のオヤジに嬉々としてシャチョーと話しかけているのでもありません。

彼らにとっての重要な客（ソワニエ）は、同じセンセイやシャチョーでも「政治屋や弁護士、医師そして大企業の代表（実際は雇われ役員がほとんど）」。店主たちがこれらソワニエにヨイショしているならまだ良いのですが、問題は政治屋や弁護士、医師、大社長が**大将、シェフ、と呼んで店主に媚び売っている**ということなのです。

名の売れた政治屋や弁護士、大社長にこう呼ばれてしまっては、店主が勘違いするのは当たり前。「自分は彼ら（政治屋や弁護士、大社長）と対等」と思い込んでしまうでしょう。

確かに店と客は対等の立場であるべきですが、社会常識や知識を習得していなくても、「自分は彼らと対等で、多少の無理は許される」と思い込んでしまうのではないか。

かくして、刑事責任を問われるような脅迫や、契約（予約成立）の履行を破棄するという、社会常識皆無の行動に出てしまうのであります。

政治屋や弁護士がついているから何をしても大丈夫とまでは思っていないでしょうが、自分が偉くなったと勘違いしての「少々の無理をしても咎められない」という発想。

料理人だけではなくすべての人が陥る「舞い上がり」「勘違い」でありますから、友里も気をつけなければならない問題でもあります。

キレイごと抜きのワイン選び

己のレベルを自覚しろ

最近は世界的に酒飲みの人口が減少しているそうです。まして日本人は欧米人より肝臓の酵素が少ないと聞きますから、ワインを食事に合わせる人はさらに少なくなっているかもしれません。でも本書は多数派の下戸のみならず、酒飲み読者も相手にしているのです。

また友里の経験から30代以上の外食好き独身女性の飲酒率は高い。レストラン利用の最大の目的は「女性との関係強化」ですから、ワインのオーダーは男性が逃げては通れない道なのです。よってこのコラムは、その最終目的を持ちながらワイン選びに自信のない男性への即席アドヴァイスをすることを主旨としました。

まずレストランでのシッタカは御法度。ＴＶなどで蘊蓄を語る自称ワイン通の俳優がおりますが、裏ではＣＡやソムリエにバカにされております。友里はグランメゾンの超末席で蘊蓄語っていた彼を目撃したことがありますが、タニマチの支払いと見透かされているからか、まともに相手にされていなかった。

他腹で高いワインを何本も飲む客より自腹で１本飲む客がレストランには重要。お金を落とさない他腹客など眼中にないのです。

そして下手な蘊蓄や飲んだ経験をソムリエに自慢しないこと。有名ソムリエでもレアなワインの経験はさほどないでしょうが、知識だけは豊富。また、あなたの連れの女性、レベルが高いほど普段からエスコート男性に恵まれているはずですから、あなたよりはるかに凄い経験を持っている可能性もあります。そのソムリエと昵懇であるケースも考えられる。化けの皮がすぐ剥がれてしまいますね。

また周辺の客に凄いワイン通がいるかもしれない。そのような客（連れの女性も）は中途半端なワイン通をバカにしますから、トイレで中座したときなど連れの女性に聞こえるような声でこれ見よがしにおちょくる会話をする場合も多いのです。

レストランでは蘊蓄披露や飲んだワイン自慢をしてはいけません。友里も、レストランでは謙虚であることを肝に銘じております。

第2章　脳天気国民に巻き起こった「偽装騒動」の顛末

これが世の真実、性悪飲食業界の裏側だ

衝撃的な音源を抜粋したものを以下に記します。このような〝偽装の裏側〟を白日の下にさらすのは友里の使命であり、グルメに関しては友里にしかできないことだと自負しております。これは、A（ステマ会社）とB（飲食店運営会社）による、口コミグルメサイトを巡る営業会話であります。臨場感を損なわぬよう会話を生のまま起こしているので読みづらく、また少々長くなりますが、ご一読ください。

A　電話のほうでお話させていただいたかと思うのですが、大体の内容的にはご理解いただいてますでしょうか？

B　はい

A　ありがとうございます。で、こういったお話って、ほかにはこられてないですか？

B　そうっすね、初ですね

A　ホントですか。ちょうど食べログがグルメサイトの中で1年前くらいからユーザー数

B　がトップになったんですね。そこらへんから、こういったビジネスが始まっているんですけど、今、食べログのアルゴリズムが変わったのはご存知ですか？　10月から

A　知らないっすね

B　評価のされかたが変わってきたのですけど

A　一回食べログに問い合せたことあるんですよ

B　はい

A　どうやって点数つけてんですかって。何百ってレビュー書いている人が書くとドーンって（点数が）上がるじゃないですか。それプラス独自の方法でやってますみたいな

B　そうですね、いろいろトータルな部分もあるんですけど、今これだけスマートフォンが普及しているなかで、スマートフォンで検索する時って点数順ではないんですね

A　はい。そうっすね

B　今、●●（地名）、●●（料理ジャンル）で検索した結果は（Bの店は）1位なんですよ。ただしアクセス数と口コミの件数なんですよ。この最近注目順ってのがスマートフォンで検索したときのカテゴリーでして、そのときに2位になっているんですね。これは言葉の通り最近にアクセスされた、最近に口コミが入った順って形になっています

B　へー

A　あとはトータル的な部分になるんですけど、ただ御社の場合かなり口コミの件数もあるので、そんなに下の方には行かないですけど、やっぱり1位と2位の差っていったらアクセス数はかなり変わってきます。アクセスのされ方ですね

B　ふーん

A　という部分で、定期的な口コミを代行してやらせていただくという

B　口コミ代行

A　そうです。で、口コミの中身、内容っていうのは操作させていただいて、評価の点数も操作させていただいて、あと写真を取り込みながらっていう形ですね

B　それじゃあ、あれですか。(レビュアーは) うちで実際お食事されるんですか?

A　実際、半々くらいです。食べログのレビュアーっていうのは

B　へー

A　今、食べログの中でも一件口コミするとポイントが付いたり、Tポイントが貯まったりですとか

B　Tポイントが貯まるんですか?

Ａ　はい、貯まります。で、そういうふうな形になってから、行かなくても具体的な内容を入れちゃえばっていう話の中で

Ｂ　Ｔポイントのために行ってもない店を書くってことですか？

Ａ　そうですね。あと、そのまんまキャッシュバックされたりしますね

Ｂ　キャッシュバック!?（驚く）

Ａ　キャッシュバックです。あと、マイルが貯まったりですとか

Ｂ　それ、誰が誰に払うんですか。食べログが払うんですか？

Ａ　もう、リンクされているんですよ。いろいろな提携会社と。そこからポイントキャッシュバックとか

Ｂ　その提携会社ってどういうとこがあるんですか

Ａ　かなりあります。20社くらいあります

Ｂ　じゃあ、食べログがそれをできないから、提携会社にやらせてるって事ですか？

Ａ　まぁ、やらせてるってわけじゃないですけど、やはりカカクコムのほうでも口コミのサイトメインなので、あまりそういうのは取り込みたくないとは思ってます。ただ、そういったビジネスもみんな食いついてきますので

B　キャッシュバックされるんだったら、平気で家でカチカチやってるだけですもんね

A　そうですね。ただ、信憑性がないと評価されない、あと何百文字っていうのも全部決まってますので、単純に素人がやるとすると結構面倒くさいですね

B　いっぱい書かなきゃいけない

A　そうなんですね。で弊社で取り扱っているのも100件前後くらいは書いてきている人間なので

B　なるほど

A　はい。で、御社の方でも結構店舗展開されてらっしゃるということで。で、全部の店舗、結構（客が）入ってますかね。新規の集客

B　はい。おかげさまで、それなりに

A　皆さん口を揃えて言われるのが、震災後からかなり客足が減ったと。単価が高いところはなかなか難しい。ですので、皆さん見られているサイトっていうのも「ぐるなび」「ホットペッパー」というよりも食べログみたいな口コミのサイトという部分もありますので、そういったところで重点的に集客に繋げていただければという

B　なるほどですね

A　あんまり今、販促のほうには力入れていらっしゃらないですかね

B　まぁ、自分たちでできる範囲でいろいろやっていますね

A　HPのほうも見させていただいたりしたんですけど、ぐるなびとかそういう方は使われてらっしゃらないんですかね

B　使ってないですね。（食べログに話し戻って）これ、妙な話、例えば何点にしてくださいとかそういう事できるんですか？

A　評価の点数ですか。この中はちょっとずつ上がっていくイメージなんですね。ただ、レビュアー側の点数のつけ方っていうのは操作できます。５点５点４点５点とか。いろいろなカテゴリーの中でですね

B　実際お願いするとなったら、１レビューにつきおいくらとかそういう事ですか？

A　そうですね、いろいろプランはあるんですけど、例えば３件、月単位で入れるとなれば５万円という形ですね

B　（大きな声で）３件で５万円。へーっ！

A　逆に10件であれば10万円、１口コミ１万円くらいの。これはレビュアーの報酬にも繋がってきてしまいますので

B　なるほどですねー。それで、御社はそれをいっぱい持ってるという感じですか？

A　そうですね。もともと一つ業務提携している会社の方で、レビュアーのオフ会みたいなのがあったんですよ。で、その中でビジネスができないかと。抱えているのはそちらの会社ですね。私たちの方で営業活動やらせていただいてるんですけどで、5件で

B　5件で8万ですね。3件で5万

A　で、多大なる影響力を持っているレビュアーでしょうか

B　あの、1年くらい前には何千件というレビューした人間を使ってたんですよ。そうすると、当然ながらいきなり0．5とか点数が上がったりしてました。ただ、それってお店のほうにもリスクがあって、食べログのほうでもかなり監視しているので自演自作ってわかった瞬間お店のページが凍結されてしまうんですよ

A　凍結ってどういう

B　一定期間ですね、どんな口コミしても評価されなくなってしまうという。で、この事例で、評価が3点から3．5点に上がった、アクセス数も1026件から2万3000件に増えた

B　まぁ、この店にしてみれば万々歳ですね。
A　そうですね、まぁ地域によっても喜ばれます。いきなり集客ができるっていう、本当に食べログの影響力って今すごいので
B　ぐるなびを超えましたからね
A　そうですね、結構反響はあるんですけど。で私どももあんまりいろいろなお客様とお取引きができないので、こういった商材なので
B　実績もすごいっすね。2．85が3．58になるんですね
A　今、10月からはここまでは上がらないです
B　はー。徐々に上がっていく
A　徐々に上がるっていう形ですね
B　そうですね、いきなり上がる、いきなり下がるがありましたもんね
A　はい、でも今ポイント制ですので上がり下がりが結構激しかったりするんですよ
B　ポイント制ってなんですか
A　それは先ほどお話ししました注目順ってやつですね。先週とか先々週のポイント、注目順って形ですね

B　点数ではなくてね

A　はい、点数ではなくてポイント、口コミの件数だったりアクセス数だったりですね

B　これ、でもユーザーとしては点数順のほうが絶対わかりやすいじゃないですか。ポイント制にした理由ってナンなんですかね

A　見れるのは見れるんですけど、会員にならないと見れないんですよ。スマートフォンで月額315円払わないと。ただそうは言っても、会員になられている方は少ないと。で実際に見れるのはこういう順番なんですね、スマートフォンで

B　あー

A　で、その地域を知らない人間は一番上から順番に行きたがるという

B　だけど、点数の高いところから順に行くと思うんですけどね。それって点数順じゃないじゃないですか

A　結構皆さん知らないですね、点数順じゃないって事を。一般のユーザーさんっていうのはそんなには気にしてないんですよ。上から順番に見ていくんですね。で、最近の注目順ってなると、最近アクセスいっぱいされてるから正直行きたいとなって。それで、今Kポップ系の店っていうのがいきなりドンって上がってるんですよね

Ｂ　Ｋポップは流行りですもんねぇ

Ａ　ただ大久保の焼肉屋さんでＫポップ系というのもいっぱいあるので、その中でもどこで選ばれるかとなれば、こういった食べログみたいなサイトなんですよね

Ｂ　もし、これカカクコムにばれた場合どうなるんですか

Ａ　でも、取引してるって事がばれることはないんで。一つ一つのアカウントを探ることっていうのはできないんですよ。しかも一般のレビュアーなので。会社単位でアカウントを持っていたら一発でばれちゃいますけど

Ｂ　御社がお持ちなのは、そういった何百件も書いている人たち

Ａ　そうです

Ｂ　10件で10万

Ａ　そうですね。ただ各店舗に振り分けていただくこともＯＫです

Ｂ　１００件はいくらですか？

Ａ　月に１００件ですか（驚く）！　できなくはないです。ただ一度確認していただいたりするので、かなり時間はかかると思います。ただいきなりドンって入れるよりも、定期的に入れていくほうが効果的です

B　何人くらいお持ちなんですか？　その何百件も書いているレビュアーを

A　先月の段階で200ちょこっとだったんですよ。ただ、5社くらいで提携してこのビジネスやっていますので、その全体のレビュアーの数っていったらかなり多いですね

B　みんな協力し合って

A　そうですね、もし足りなかったら。同じアカウントは2回は使えないので

B　見積書みたいなのはない感じですか

A　もしよろしければ、データのほうで送らせていただきます。こういったビジネスですので、あまり紙ベースでは持ち歩かないんですよ

B　違法ではないんですか？

A　違法ではないです。いろいろ注意とかは来るんですよ。お店によっては嫌がられるお店様もいらっしゃいますので

B　注意って食べログから来るんですか？

A　そうです、カカクコムから

B　食べログがどうやって知ってるんですか？

A　単純に名刺だけとか、そういった話をどこかから聞いたとかくらいなので、注意しか

来ないです。で何かあっても御社のほうには迷惑はかからないようになっております。カカクコムと弊社の方でやるくらいですね

B　ただし、グレーといえばグレーですよね

A　グレーといえばグレーですね

B　そこらへんも考えなきゃいけないので。実際どうなのかなというところでお話を聞きたかったたんですよね

A　実際かなり反響はありますので

B　わかりました。ありがとうございます

この録音をした時期や店のジャンルなど詳細は、情報提供者に配慮しなければならず明かすことができない事をご容赦ください。

このようなステマは社会問題にもなりましたが、やはり口コミサイトにまで浸食していたのです。現在では完全に消滅していると思いたいですが、性悪説に基づいて考えますといかがでしょうか。では、これがグルメを巡る偽装実態の氷山の一角に過ぎないということを、これから語っていくことにしましょう。

ある店主が語った「偽装」の真実から考える

飲食店をやっている人なんていい加減なんですよ。偽装ですが、こんなの皆やっています。100%に近いと言い切れますね。

これ、客や卸業者の言ではなく、超一流と言って差し支えない料理人から聞いた話であります。本人もその飲食店をやっている側ですから、説得力があるというか、「お前はどうなんだ」との突っ込み疑問も沸いてきます。でもこれが飲食業界の実態なのか。

偽装問題で矢面に立たされた店のほとんどはホテルなど大規模店。ダンマリを決め込んだ一流ホテルも知っておりますが、個人経営など小規模店は一切出てこなかった。

しかし「所詮人の金」と思っているサラリーマン（ホテルの料理人）でもやっている偽装、儲けが自分の懐に直結している小規模店が手を染めないはずがないではありませんか。

2013年秋に話題になった偽装問題でありますが、年を越えることなくあっさり鎮火。ホテル、百貨店からスケープゴートは差し出されましたが、我々客側に果たしてメリットはあったのでしょうか。伊勢エビの相場が上がるというデメリットがあっても、メリットは皆無に近かったと友里は考えるのです。いやメリット以前にその病巣は闇の中のまま。

今回の偽装は食材の偽装が主体。ストレートジュースをフレッシュと偽ったものはありましたが、ほとんどがエビの種類の違いや肉の加工の有無での問題であります。

でも実際のところ、飲食業界の偽装は食材だけではない。「店評価偽装」「高級偽装」「予約困難偽装」「天然偽装」……。それらはまったく問題視されていないのです。

次項から世にはびこる種々の偽装について、友里ならではの人とは違った見方で述べていきたいと思います。

「高級偽装」「肩書き偽装」で一大ブームに

一昨年辺りから、高級食材を使った料理を破格に安く提供するとうたう立ち食い主体のフレンチやイタリアンのチェーン展開が目立っております。調子に乗ってマンハッタンへの進出も狙っていると聞きますが、果たしてニューヨークに上ってくるツーリストを釣り上げることができるのか。友里は銀座にいるお上りさんのように簡単には引っかからないと思っています。理由は簡単。アメリカの田舎（特に南部）へ行くとわかるのですが、かなりの確率の人が男女ともに超肥満なのです。つまりニューヨークへ上ってくるこの手の人は、太りすぎで立ち続けられない。自己管理したセレブはこんな廉価店に行きませんから立ち食い店は流行るはずがないのです。

さて本題です。この立ち食い店がウリにしている〝高級〟食材ですが、本当に破格に高額なものを安く提供しているのでしょうか。まずは〝世界の3大珍味〟キャビア、トリュフ、フォアグラから述べてみましょう。結論から言ってしまいますと、これら3大珍味、高額なものから桁が異なるほど安いものまでありますから、一括りに高級とは言えません。いやフォアグラに関しては、珍味かもしれませんが高額品ではないのです。単価は和牛と大差なく、しかも1皿での使用量はわずか。牛や豚のように100gなんて量はくどくて食べられたものではないですから、1皿に使用する原価はかなり低いものになるのです。

では一番高そうに見えるキャビアはどうなのか。確かにロシアやイランなどの天然ベルーガ（チョウザメの最高品種）のキャビアなら、50g瓶で何十万円もするものがあるようですが、現在はワシントン条約などの規制でほとんど出回っておりません。

でも世の中のキャビア、天然と養殖だけの単純な違いだけではないのです。チョウザメはベルーガ以外にもオシェトラやセブルーガ、カルーガなどの格下種がありますが、もっと安いチョウザメが存在しているのです。正確には「ヘラチョウザメ」という品種で、アメリカ産によく見られるもの。問題なのはヘラチョウザメキャビアも「キャビア」と表記できるため、最近では高額店でも彩りに使用し始めているのです。価格が１桁も２桁も違うこのヘラチョウザメキャビア（ネット小売で一瓶２０００円前後）を廉価店で提供することはもちろん可能。ですからこの立ち食い店のウリを正確に赤ペンさせていただくと

高級食材のキャビアとは一線を画した低価格なキャビアをそれなりの利益率を乗せて損せず客に提供している。

真相を暴露してしまうと、この店で有り難がってキャビアを食べる気がしなくなりますね。

次はトリュフ。丹波産松茸の数倍もするというアルバ産白トリュフや、一桁違うけどペリゴール産黒トリュフは確かに高額食材であります。しかし世の中には安いトリュフが存在しているのです。あれは15年前くらいでしたか。外国人がよく使うスーパーマーケットで１ケ５００円という黒トリュフを見つけて試しに食べてみたのですが、香りがないだけではなく食感も悪いまったくの別もの。産地を確認したら中国産でありました。最近は中国ほどではないですが、オーストラリアなどの安い格下トリュフが氾濫していますし、質の悪さをごまかす「瓶詰めトリュフ」という廉価商品もあります。

つまり、トリュフも質や産地にこだわらなければ、損ぜずそれなりの利益をとって客に安く提供することは十分に可能なのです。

世界三大珍味でも実態はこれですから、その他の食材も推して知るべしです。オマール海老も最高級品と言われるブルターニュ産のオマールブルーとインド産オマールの価格差は10倍以上ではないか。牛ヒレだって、オス乳牛を使えば安く提供できます。

つまりこの手の店は、高級食材もどきの高額ではない食材をあたかも「高級食材」と客にイメージさせて提供するというビジネスモデル。友里はこれを

高級偽装

と命名しております。

そしてこの店のもう1つの大きな偽装は、

スタッフの肩書き偽装。

倒産に追い込まれた店の雇われ料理人や店を閉めざるを得なかったオーナーシェフをかき集めるだけなら良いのですが、彼らを「トップ中のトップ」「巨匠」「カリスマ」などと祭り上げて、知識のないお上り客を釣り上げているのです。外食に慣れた人ならば、

腕がないから客が来ず潰れたんだろ!

自分の店を維持できなかったシェフのどこがカリスマなんだ！

となるのですが、居酒屋レベルしか知らない人にはその実態がわからない。よって現在も居酒屋を主戦場にしている客層が「いつかはクラウン」と同じ心理で「いつかはフレンチ、いつかはイタリアン」という夢を果たすために押し寄せ続けているのです。

真に高額な高級食材なんて世の中にそれほど出回っていないのです。

人気店に成り上がる手っ取り早い手段「予約困難偽装」

ステマによる高評価が、人気店に成り上がらせる〝ハイテク〟手段とするならば、アナログ手段としてよく採られているのが、「わざと予約を取りにくくする」というもの。

簡単なやり方としては受話器を上げっぱなしにするというものがありましたが、最近よく行われるのが「予約をわざと入れない」というもの。客はある意味〝純粋〟ですから、予約が入らないと勝手に「人気で予約が一杯、連日満席なんだ」と勘違いしてしまう。

しかし実態は、オープン当初だけ無理してキャパシティの半分も客を入れず営業を続けているだけ。その見せかけだけの予約困難を、サクラ的な（親しい）立場のブロガーや食ベログレビュアーに吹聴してもらえれば、一般客は簡単に釣り上げられてしまうのです。

今は下火になっているようですが、人気で入手困難と言われたラスクやロールケーキの行列、その長さをコントロールしているのはご存じかと思います。行列は短すぎても長すぎてもダメなのです。短いと人気がないと思われ敬遠されますが、逆に長すぎても集客には不利。それは長時間待つのを嫌がり客は帰ってしまうからです。ですから繁盛させたい店は行列の長さをコントロールするため、数台のレジを開けたり閉めたりして、一定の行列の長さを保とうとしているのです。並ぶ客が少なくなってきたらレジを減らす。行列が必要以上に長くなりそうになったらレジを増やすわけです。

高額店でも客心理の利用は有効な手段。レジ代わりに電話予約システムを操作するのです。例えば時間帯を制限（予約を受ける時間帯を絞る。もしくは1か月分の予約を前月の1日に限定するなど）すれば、予約は一時に集中しますから予約困難に見えてしまいます。また予約は2か月先までしか受付けないと開示しておきながら、実際は常連に営業をかけて1年先まで予約を入れてもらい、一般客の予約枠を極端に狭めるという方法もあります。

常連客が一見客より優先されるのが常識である高額店において、このやり方がアンフェアかどうかは難しい判断ですが、少なくとも〝正々堂々としたシステム〟とは言えないはず。偽装とまでは言えなくても、「演出」であることは彼ら飲食店側も否定できません。

つい最近までは、電話が繋がりにくい（回線が1本しかなく、その上予約を受ける時間帯を絞っているから当たり前）ことへのエクスキューズで「電話回線の増設や電話応対のスタッフを増やすなどの改善に努めている」とHP上に示していた3つ星フレンチがありました（友里が出禁宣告を言い渡された店です）。でも何年経っても、回線は増えずに話し中ばかり。でもこれは当たり前。電話を増設しスタッフを増員してしまったら予約困難が演出できなくなるのです。店主が自ら己のクビを締めるはずがない。これなど友里に言わせると、**電話増設偽装**にほかなりません。

本来ならば、食材の偽装から端を発してこれら飲食業界に巣くう悪しき偽装の様々にまでマスコミはメスを入れるべきだと友里は考えるのです。

そもそも偽装するほど価値があるのか「天然偽装」

鮎で日本一有名な滋賀県にある店。関西圏だけではなくその名が全国にとどろくほど名声をほしいままにしているのですが、この店を訪問する人のほとんどがここで提供される鮎は、天然か少なくともそれに匹敵する質の良いものだと、心ないマスコミや悪質な評論家の絶賛に踊らされて勝手に思い込んでいるのです。

しかし連日全国から客が押し寄せる料亭形式の店での昼夜営業、しかも客一人に5尾から10尾近くも出すことをウリにしている店です。冷静に考えたら**そんなに多くの天然鮎（高質な鮎）が隣の川で獲れるはずがない。**

友里一行は関係者から裏をとっていたこともあり、女将に鮎の素性を問い詰めました。最初ははっきり言わずごまかしていたのですが、最後の念押しで「ホントに天然なの？」との友里の連れの強い口調に押されたのか、苦し紛れに「川の鮎です」との珍妙な回答。

隣の川で大量飼育している鮎だとの裏をとっていただけに、我々はさらなる追求をやめたのです。天然ものも放流ものも、そして困った中での養殖ものも、海でない限り〝川の鮎〟ですから女将に嘘（偽装）はない、と考えたからでした。

ところで、鰻やマグロ、そして鯛など魚貝類だけではなく、鴨や鹿などジビエ（野禽）類まで天然モノが持てはやされる現在でありますが、友里が不思議に思うのがいまや日本だけではなく海外のフレンチなどでも使用され始めた「ワギュー」。これって「養殖モノ」

であることは子供でも知っていることですが、なぜ牛（豚や鶏も）は養殖で良いのか。

　これら家畜は品種改良を繰り返した産物だからだとの弁解も聞こえてきますが、それなら鰻やマグロ、鯛などを品種改良して天然を凌駕できないのか。魚は養殖ものにある不自然な脂が余計で、味わいも天然に敵わないというのが一般的な天然信仰の根拠であります。

　でも和牛のサシ、これが自然な脂分だと思い込んでいる人がいるのでしょうか。いや、自然どころかとんでもない飼育方法で脂ギトギトの和牛を生み出しているのです。

　現在の和牛は、「ビタミンコントロール」というビタミンAをほとんど与えない肥育法をとっているそうです。ビタミンAが欠乏するとサシが入りやすくなるのですが、業界用語ではこのような牛を「A欠牛」と呼ぶとか。ある食肉関係者に聞いたところ、肥育場の肉牛はフラフラなんだそうです。

　話がそれました。ここが大きな問題なのですが、鰻やマグロ、鯛などはお金さえ払えば比較的簡単に天然ものを食べることができます。しかし世で、天然の牛を食べた経験がある人がどれほどいるのか。豚の原型とも言われる猪を見ればわかるように、これらは臭みがあるから避けて養殖にしているのだとの、これまた弁解もあるでしょう。しかしそれにも友里は反論したい。ではなぜジビエにクセ（独特の臭み）を求めるのか。牛でも豚でもクセを求めても良いのではないか。

思うに、魚貝類は天然、ジビエももちろん天然、しかし家畜ものは養殖が一番と、日本人は刷り込まれてしまった。検証したくても天然の牛や豚はそう簡単に食べられないのですから、信じるしかない。漁業や畜産関係の大きな影を感じてしまうのであります。

一般的に、ほぼ天然ものを口にすることのない食材に、鰻が挙げられます。この鰻ですが、よほど質の良い天然鰻を地焼きにでもしない限り、関東式（白焼きして蒸してからタレ焼きする）の蒲焼きを一般人に試食させたら、養殖に軍配を上げることでありましょう。当たり外れが多い天然と品質が安定している養殖鰻の差というだけではなく、そもそも一般人は鰻屋からつい最近まで「養殖鰻しか提供されていなかった」からです。天然鰻を食べた経験がないのですから、臭みが残っていたり脂ノリが悪くやせ細ったものが多い天然より、食べ慣れた養殖鰻をおいしく感じるのは仕方がないことです。

東京・港区に、「天然鰻にこだわっている」と世間に喧伝していながら、実際店で出している鰻は養殖モノばかりという有名店が、繁忙期（丑の日前後）には行列ができるほど繁盛している現実がこのことの証左であります。一般人は友里が問題提起するまで、いや今でも多くの客がその店で、

養殖鰻を天然と勝手に勘違いして「おいしい」「最高」と食べているのです。〝こだわらない〟養殖鰻をつかまされ、若女将のシャネラー化の片棒を結果として担いできた〝純粋な〟客は、悲劇を超えて喜劇と言うしかありません。

確かにマグロやフグ、鯛などは、先に「天然です」と言われて食べたら誰でもおいしく感じますが、質の良い天然物を「養殖です」と出されて、「いや、これはおいしい天然だよ」と反論できる人が果たしてどれくらいいるのか。プロでも難しいはずです。もちろん友里も天然と言い切る自信はありません。世の９割以上存在する普通の食べ手には、**高価な天然ものは猫に小判で意味なし**と言ったら、暴論と怒られるでしょうか。

絶対に見破れない「産地偽装」

一口食べたらどんな食材でもその産地を当てることができると吹聴している自称グルメ関係者がいます。それを信じる純粋無垢な信者も結構いるのではないでしょうか。あるいは有名ソムリエならワインの産地どころかワイン名までずばり当てることができると思い込んでいる人も多いことでしょう。そのような幸せな人の夢を壊すのは気が引けるのですが、あえて声を大にして言います。

そんなアフォなことは絶対にあり得ない！

世にどのくらい食材の産地があると思っているのでしょうか。産地は日本だけではなく世界中にあるのです。ワインだって世にどのくらいのワイン名が存在していると思いますか。熟成が好まれるワインは、各ヴィンテージまで入れると、天文学的な数字になるのです。つまり生まれて数十年の人間が、すべての食材やワインの産地を試すのは物理的に不可能。ですから食べた（飲んだ）ことがない食材やワインがわかるはずがないのです。

いや産地の多さだけでなく、世には個体差というものがあります。皆さんの周りを見てみてください。兄弟姉妹という同じＤＮＡで同じ環境で育っていても、背格好がまるで違う家族を見ることができるのではないでしょうか。動物や魚でもこれは当てはまるのです。同じ場所で育っても、各魚の運動能力などの違いでエサの摂取量も変わるはず。それに魚にも家系図というか遺伝的な違いもあるでしょうから、同じような品質のものばかりのはずがない。産地を聞いて「おいしい」と感じる客の大半は、事前知識（この産地のものが良いとの刷り込み）による先入観からの結果であるのです。

和牛も同じです。松阪牛だ、なんとか牛だとか持てはやされておりますが、一部を除いてその仔牛は宮崎など別の土地で繁殖農家が生ませたもの。それを松阪など牛産地の肥育業者が買い入れて育てて市場に出すわけです。ですからはっきり言ってＤＮＡに産地固有のオリジナリティはない。しかも、各繁殖農家の肥育法（飼料などの他に育てる人の性格も）が異なるわけです。同じ品質の牛が育つはずがありません。よく肉の断面を見て、松阪牛だ神戸牛だと当てるとか言われておりますが、同じ産地でもＤＮＡと繁殖法が異なるのですから、産地固有の肉断面なんて理工学部出身の友里は絶対に信じないのであります。

最後は野菜の話にしましょう。今ではちょっと高級なスーパーにはその文字が躍るほど、「京野菜」が人気です。友里も釣られて買っているのですが、この京野菜、品種のことであって実際は京都府で造られていないものもかなりあるのです。関東近辺でも造られているとか。一方で、●●さんが育てたトマト、とか農家の人の顔を前面に出して付加価値を付けています。つまり野菜業界は「産地より育てた農家が大事」とも言っているのです。

結局のところ、産地だろうが生産者だろうが、客にいかに〝高く〟売りつけるか、という付加価値の問題でして、正解を導ける話ではありません。結局、我々一般人が**産地なんてわからないからおいしければいい。**

そう割り切ることが重要なのではないでしょうか。

未来永劫続く「偽装」といかに付き合っていくか

高級偽装や肩書き偽装はちょっと経験を積んだ人なら簡単に見破れますが、産地を含めた食材偽装を見抜くのはプロでも難しい。よく魚の目利きという話を聞きます。和食や鮨の職人が仕入れの際に発揮すると言われる能力でありますが、このことを換言すると**目利きができない（質の良し悪しがわからない）プロも多い**ということ。プロでさえわからないのに、ド素人が調理済みの食材（原型を伴わず加工もしている）の良し悪し、本物か偽物かなんてわかるはずがないと友里は考えるのです。

食べログのレビュアーから店の対応に関してクレームが多いのが、「料理の説明をしてくれない」という文句。どこそこの産地というだけではなく、ヒラメかカレイかなど、食材自体の説明も受けないと何を食べたかわからない人が多いという証左であります。

見ただけ、食べただけでは何の食材かわからない客が、偽装された食材のウソに気付くはずがないのはサルでもわかること。よって、偽装をする店は今後も後を絶ちません。

天然や産地、高級食材にこだわらない客ばかりになれば、偽装に手を染める店はなくなると思うのですが、この天然や産地といった食材のこだわりを特集する料理雑誌でメシ食っている出版社が存在するかぎり、そんなことを許すはずがありません。

それでは〝居酒屋が主戦場〟ではない我々外食好きはどう対処したら良いのか。それは

偽装の存在を認めること。


すべての店では偽装が行われていると覚悟して店訪問をすれば良いのです。

産地偽装や天然偽装など種々の偽装は利益幅を増やすための狡猾な手法であります。安い食材でも売り価格を上げて利幅をとろうとすることは、まともな人間としては決して許せない行為でありますが、正直な話、プロでもわからないものを客がわかるはずがない。

そう考えると、偽装根絶を望むのは絵空事に過ぎない理想論。

本書の骨子である「飲食店性悪説」に則って店と付き合うしか、有効で聡明な手段はないというのが、友里の偽装に対する結論であります。

値踏みするソムリエとの付き合い方

レストランに高額店から廉価店まであるように、ソムリエのレベルもピンキリです。客より知識や経験もないキリも多く存在していますが、ここではピンに近いソムリエの接客について考察します。

どれほどワインについての知識・経験があるかはそれぞれですが、彼らは接客のプロであることは間違いない。よって客の値踏みにはかなり長けていると考えて間違いありません。

ソムリエは客を服装だけではなくコートや靴、時計などと、客の立ち居振る舞いで値踏みしてきます。どのようなライフスタイルなのか、資産があるのかを瞬時に見抜き店の売上げ向上（ワインなど）に繋げるためです。リピーターなら別ですが、一見客の場合はこの最初の関門で格付けされてしまうでしょう。

そんな格付けで低く見られても構わない、ワインリストで好きな（高い）ワインを選べば良いだけだ、との主張もあるでしょうが、世はそんなに単純なものではないのです。グランメゾンなど超高額店に限らず、レストランにはリストにないレアなワイン（そこらの客にはもったいなくて飲ませたくない）があるものです。ですからソムリエの判断によってはそんなワインを飲めないというか、存在さえ知らされずに終わってしまうのです。普通は通い詰めて、店にとっても客にとってもWINとなるワイン（早い話が高めのワイン）を頼み続けることによって、このようなレアワインを出してもらえるよう客は頑張るわけです。身なりやアクセサリー、そして立ち居振る舞いは、その過程でプラスにもマイナスにもなるのです。

ソムリエに媚びうる必要はないですが、高額店になるほどソムリエを味方につけないと良いワインに出くわすのは難しい。またあくまで友里の経験でありますが、連れの女性のビジュアル度などレベルが高い方が、このソムリエのハードルは低くなると思います。世のソムリエ、わずかな例外はいるでしょうが、日本で一番有名な薄毛ソムリエを挙げるまでもなく、皆「女好き」です。

第3章　飲食店のわがまま慣習を法に問う

飲食業界のやりたい放題を法律は許すのか？

前章まで店主（飲食業界）の自分勝手な悪行を友里的に取り上げてきました。我々一般客が麻痺し「当たり前」と受け入れてきたこの業界のしきたりは、法的に問題があるものも少なくないのではないか。所詮客など法的にド素人だと舐めきっての、「俺には高名な●●先生が常連なんだ」と舞い上がった店主たちのやりたい放題があるのではないか。

実はこの友里、個人や本業では20を軽く超える弁護士を介した訴訟や和解交渉の経験を持っております。副業（グルメ評論）での訴訟経験は1回しかありませんが（名誉毀損で提訴されて高裁で逆転敗訴確定）、おそらくグルメ業界では唯一無二の存在であると思います。

本来ならば法的解釈は専門家に任せるのが無難でありますが、店主と法曹界は癒着している恐れがあります。外食好きの弁護士は多々いますが、飲食店と対峙する立場の弁護士は皆無に近い。店主に媚びうるセンセイばかりですので。

また飲食店と対峙するライターやブロガーは世に何人かいるかもしれませんが、法的な経験や知識は皆無に近いと考えます。

ということで、両方にそれなりに詳しい友里が、平然と行われている飲食業界の悪習慣について法的に問題提起したいと考えたわけです。

本章ではあくまで客側のスタンスを貫く友里が、法曹界のプロではありませんが弁護士たちとの長い付き合いから得た知識をもとに、飲食業界の悪しきしきたりを検証します。

出入り禁止を法に問う

同伴者が正式な予約をしていての、その場の入店拒否は法的に問題がないのか。その際、不当だと居座るとどうなるのか

正式な手続き（予約電話と再確認）をとっての予約なら、同伴者の顔を見て入店拒否するにはそれ相応の合理的な理由が必要です。

友里の場合、例の３つ星フレンチでは「（料理を批判的に書かれたので）満足させる料理を出せない」との理由での入店拒否でありましたが、これは法的には合理的ではありません。

その店が紹介制や会員制など、リピーターだけに限定していれば別ですが、一見客も入れているとしたら、

「友里には出せなくて、事前に嗜好がわからない一見客に、なぜ満足できる料理を出せると思うのか（事前に嗜好を電話確認したくらいではダメ）」と突っ込むことができるからです。友里は今のところやる気がありませんが、しっかりした代理人を立てて法的に正しいアプローチをすれば、この3つ星フレンチの扉は簡単にこじ開けることができるでしょう。

またこの入店拒否の際、追い返しを拒否して友里が居座ったらどうなるか。住居不法侵入や営業妨害だと叫ばれて警察を呼ばれる可能性はあります。が、仮に警官が来たとしてもしっかりこの不合理な店側の追い返しを主張すれば民事不介入の原則から大きな問題にはならないことでありましょう。

しかし上記の行動をとるには費用対効果に問題があります。入店を拒否されて追い返しされそうになったとき、たとえ咎めがないとしてもそこに居座って客は何の得があるのか。弁護士費用をかけてまで、無理してそのシェフのワンパターン料理を食べるだけの価値があるのかどうか。店にイヤミをしても何の得にもなりません。

わざわざ弁護士を儲けさせることもないのではないか。友里はこのような手段に出る意味を今のところ見出せないので、出禁宣告の3店に関しましては「費用をかけてまで食べたい料理ではない」との判断をしております。

予約時に来店履歴（食べたものだけではなく同伴者の名前）を聞くのは許されるのか。その際回答を拒否したら、店は予約を拒絶することができるのか。また、同伴の客の名を聞いてから予約を拒否することができるのか

聞くのも自由、答えないのも自由です。これらの回答拒絶が法的に予約拒否の合理的な理由にはなりません。他のほとんどの飲食店が、こんな高慢ちきなことをしていないからです。憲法14条「すべて国民は法の下に平等であって、人種、信条、性別、社会的身分や家柄、政治的、経済的または社会的関係において、差別されない」に抵触する可能性もあります。

このような強固な姿勢を示してくる店には、「差別で心身にダメージを受けた」と慰謝料など損害賠償請求を提訴することも可能でありましょう。

ただし費用対効果の問題で、面倒だと客は諦めるんですね。どこかのヒマな金持ちが、「ここは一発」と、店とやり合ってくれるとおもしろいのですが。

高慢ちきな店主は常連センセイに一度、（タダで）相談しておくべきでありましょう。

店の〝ドタキャン補償〟を法に問う

「当日キャンセルや確定後の人数減少で売上げが減った場合、●●●円を請求します」とHP告示や予約電話の際の説明は許されるのか。その際の店の請求手段は？　もし客が請求を無視したらどうなるのか

これもHP上に書くこと自体は店の勝手であります。キャンセル料や違約金を請求するのも店の自由であり、それに負けて客が払ってしまうのも自由。

でもこんなことを書くとこのシステム（脅し）をとっている店から怒られるかもしれませんが、ドタキャン客が違約金（ドタキャン料）の支払いを拒否したら、それを回収することはほぼ不可能なのです。

支払いを渋る客に対して、店主たちはどうやってお金をもぎ取るのか。日本は法治国家でありますから、脅したりドタキャン客の家に押し入ってお金を強奪することは不可能。ということはドタキャン客が話し合いで支払いを拒否した場合、法的な手続き、つまり訴訟に踏み切らなければお金をもぎ取ることはできないのです。

でもこの段階で店側にはいくつもの大きな壁が立ちはだかります。

まずは客がこのドタキャンに対する違約金支払いについて、了解のもとに予約を入れたという立証責任。日本の民事訴訟は原告（店側）に立証責任があるからです。ＨＰに書いてあるだけではこの立証が難しい。仮に電話予約時に確認したとしても被告（ドタキャン客）が「聞いていない」などと否定したら立証が難しい。録音をしているなら別ですけど。

そしてもっと大きな壁があるのです。それは費用対効果があまりに悪すぎるということです。ドタキャン料の回収なんてたかが数万円のものですから、勝訴しても実入りは少ない。ところが弁護士を使って訴訟を起こしますと、普通最低限でも数十万円は必要になります（実戦経験のない、事務所に所属していない自宅待機弁護士は別）。

店主がドタキャン料を回収しようとすると、その何倍もの支出が発生してしまうのです。まともな弁護士なら、こんな筋の悪い訴訟、数十万円レベルでは受けないでしょうし。

しかし中にはドタキャン客への見せしめとして、ボッタクリ営業で大儲けしている店主（例えば原価率が高くない鮨屋の多店舗展開でファントムを何台も所有し億単位の年収を得ている人など）が、「金はいくらかかっても構わない」と弁護士費用を法外に払って弁護士を雇うことがあるかもしれません。もちろん、電話予約の際の「キャンセル料了解」の録音も証拠として持っている場合。

欲深い店主が持ち出しでドタキャン客に鉄槌を下すことはまずないと思うのですが、ここまでやっても違約金（キャンセル料）を回収できない可能性があるのです。それは被告（ドタキャン客）が
「確かに電話でそう聞いたけど、まさか本当に請求してくるとは思わなかった」

と契約の際の「錯誤」を訴えた場合。

早い話が「本気だと思っていなかったから契約は成立してない」という主張なのですが、担当判事によっては、判断が左右に異なる可能性は高い。

つまり①立証が難しい②弁護士が受けない③キャッシュフロー的には訴訟に勝ってもマイナスになる④損得関係なく正義感で争っても「錯誤」の問題で取れない可能性がある、とこの違約金回収は四重苦のハードルが立ちはだかっているのです。

かなり昔になりますが、今は埋没感が大きい和食店（家族への危害をちらつかせ友里を脅迫した料理長所属）から独立した和食店を体調不良でキャンセルしたら、しつこく電話で請求されて仕方なく支払った、という友里読者がおりました。

このように電話代だけで違約金を回収できた店主もいるようですが、ＨＰの明記や電話

での確認をしたとしても、客側に法的知識が多少なりとあるならば、回収は難しいのです。急病や不幸など避けられない事態の場合のキャンセルは仕方がないこと。でもドタキャンは小さな店では大変なダメージを受けるようです。本書はドタキャン料の回収は、客が応じなければ限りなく不可能だと書いているだけで、決してドタキャンを勧めるものではないこと、できる限り避けるべきだ、ということを最後に確認させていただきます。

日本でギャランティ（カード番号やサインの事前提出など）をとらないと予約を入れないという予約システムは通用するのか

海外の店でたまに見かける予約システムです。友里も、パリやブルージュの3つ星レストラン予約時にカード番号やサインの提出をファックスで要求されたことがあります。ですから日本でも原則的には店の自由ですから、カードでギャランティさせることは可能です。カードのギャランティに応じなければ予約を完了しないとの店側の主張は通ると思うのですが、わずかながらそれに立ちはだかる壁が憲法14条の「法の下の平等」。つまりカードを持たない（持てない）客を差別して良いのか。

己の意思でカードを持たない現金主義者は別にして、持ちたくても持てない人を篩《ふるい》にかけることが憲法上許されるかという議論です。

確かに平等ではない店側の押し付けでして、カードを持たない客はこのシステムをとられると予約ができません。そこでどうしてもその店に行きたいと考えるなら、カードのギャランティを要求する店を突き崩そうとするなら、憲法に定める平等に反すると法的な対応が必要になるのです。でもきょうび、こんな係争を引き受けてくれる酔狂で暇な弁護士はいないのではないか。またこのようなシステムをとろうとする店は例外なく高額店ですから、そもそもカードが持てないような客が行けるところではありません。弁護士費用を用意する余裕もないでしょうし。

かくして、このようなドタキャン防止の予約システムは日本でも使えると思うのですが、日本で採用している店を友里は知りません。

高額店（特に鮨や和食）の中には、手数料の負担を嫌ってカードシステムを導入していない店もあるくらいです。飲食店にとって最大の頭痛のタネである「ドタキャン対策」としては、一番の抑止力になると思うのですが、運用の面倒さもあって日本で定着するのは難しいと考えます。

支払い・メニューを法に問う

和食などの突き出し（５００円ほど）はいらないと言って請求を断れるか。パン代などと称した実態はコペルト請求、パンはいらないと請求を拒否できるのか

ある弁護士のブログだったでしょうか、「店の勝手だから払いたくない」という客には請求を引っ込めて次回から入店を拒否すれば良い、との見解を見た記憶があります。

確かに入店拒否通達は店の自由でありますが、食べたくもない突き出しに関しての未払いが合理的な出禁理由になるとは思えません。

またはっきり「パン代」などと明記していたら、「パンはいらない」と拒絶したら請求は無理でしょう。小麦アレルギーで拒否する客もいるからです。

焼肉屋で、メニュー上では「焼きレバー」と表記して、実際はレバ刺しとして提供している店が見受けられます。客が生で食べている証拠を当局につかまれた場合、「勝手に生で食べたのは客」と言い逃れできるのか

係争になった場合は判事によって見解が分かれる可能性がありますが、生で食べられる選択肢を客に与えた、として言い逃れられない可能性は高いでしょう。スタッフが横で、「生で食べてはいけない」と言い続けたと立証できれば別ですが、店は心の中で生食を勧めているわけですから難しいです。そのようなケースの場合、レバーの脇に胡麻油（レバ刺し提供時のあれです）を添えて出しているようですし。

高額鮨屋で明細を強硬に要求することはできるのか。もし鮨屋が明細提示を拒否したら支払い拒否できるのか

昔からよく言われている問題です。かつて読んだ弁護士のブログでは、「高額な鮨屋はそんなものだから仕方がない。そんな要求は〝粋〟ではないのでやめるべき」と書いておりました。友里が本章の企画を思いついたのは、実はこの弁護士の考えに問題を感じたからであります。章初に書きましたが、外食好きな弁護士は客側ではなく店側に付きたがるのではないか。そこで冷静な第三者的立場の弁護士に聞きましたところ「お金をとる以上、対価の内容を説明する義務は鮨屋にもあるはず」とのことでした。

その明細で客が納得するかどうかは別問題ですが、明細の提示を一切拒絶することは法

的に無理なようです。では明細を提示されなかったら支払いが拒否できるのか。

これは一時的に、揉めたその場での支払いの先送りはできるでしょうが、だからといって明細が出てこないなら永遠に支払わなくて良いというものではありません。

どこかで折り合いをつけて払わなければ、店側に「次回から出禁」の合理的理由を与えることになります。ヘタすると無銭飲食で訴えられるかもしれません。

友里の知るある鮨店は、基本価格が2万円でビールや日本酒は1本につき1000円（数字は例え）というある意味明確な請求をしております。またある紹介制の鮨店は、日本酒を店で飲もうがワインを持ち込もうが、一律4万2000円請求という店もあります。

客が明細を求めたくなる場合は、支払いが前回とかなりブレた場合や、隣り客との支払額の違いに気付いた時などでありましょう。明細は用意していなくても、請求額を安定させておけば、外人客やクレーマー以外でそのような要求をする客は出てこないと考えます。


予約台帳が真っ白なのに満席と言われ（いわゆる満席偽装）、予約日を先延ばしされたから損害を被ったとその店を訴えられるのか

予約台帳が真っ白であることと、損害額をはっきり立証できれば可能であると思います。

しかし内部告発がない限り、真っ白だという証拠の提出は難しい。またどのような損害を被ったかの説明も困難なことが多いです。

でも仮に、「いついつまでにこの店へ連れて行ってくれたらこの金額で発注する」といったその取引相手などとの合意書のようなものを作成できたら可能かもしれません。実際にはそんなケースはあり得ないと思いますが。

また、テーブル席を埋めない、キャパに達していないのに満席を装う、受話器を上げっぱなしにする、という満席偽装も実際の立証は損害額の認定と共に困難です。

しかし「ドタキャンはやめるべき（売上げ減となり不利益が生じる）」と主張する飲食業界なら、このような満席偽装も自粛するべきだと友里は考えます。店主たちは「サービスや品質維持のため」の入店数調整などと弁解するでしょうけど。

経営方針を法に問う

カード支払いの場合、手数料を乗せる店があります。
これは法的に許されるのか。カード会社は禁じているはずですが

カード会社は加盟店契約では手数料を乗せることを禁止しているはずです。ですから法的云々という前に、そんな契約違反をしている店をカード会社は、それこそ〝出禁〟にしてカードを使用できなくしてしまえばよいのです。

ところがここからが問題。あるカード会社の顧問だったという弁護士に聞いたのですが、たいした売上げがない小さな店には手数料の転嫁を厳しく指導するけれど、大きな売上げを上げている会社（カード会社を儲けさせてくれる店）には、手数料転嫁を見て見ぬフリすることがあったとのこと。

こういう場合は、費用対効果の問題で訴える客はいないでしょうが、法的にはカード会社に是正を要求し、改善しなければ訴訟を起こすことは可能であると考えます。

しかし非常に巧妙で突っ込む余地がないかもしれないケースを以下に示します。

ある個人経営と思われる天麩羅屋なのですが、コース料理には一律5％のサービス料の上乗せが明記されているのです。カウンター形式のその店で、サービス料をとられるのは良い気がしませんが、実は払わなくてよい方法があるのです。それは「現金の支払いだとサービス料をとらない」というシステム。これって体の良いカード手数料の転嫁とも言えるのですが、「追加ではなく現金だと値引き」としていますので、カード会社の契約にも引っかからないのではないでしょうか。

銀座のある高額天麩羅屋も狡猾にこのシステムをパクっていれば、カード会社から三行半を喰らうことはなかったと思います。

予約者全員が揃わないと入店不可、●名以上の場合メニューをそろえなければならない（全員同じメニュー）などという店独自のルールは法的に許されるのか。また客はそれを拒否できるのか

店側が料理のクオリティ維持を理由にしているこの手の制約でありますが、友里に言わせると「回転率を下げたくない」だけのこと。あとからバラバラ連れが入ってきたり、各人別の料理を出していたら、時間がかかって客の回転が上がらないのです。

このような制限をするところはたいてい中途半端な高額店でありまして、グランメゾンのようなところでは、6名程度のグループならアラカルト対応をしてくれるはずです。そのような高額店は1回転しか考えていないからです。

ですから、この手の制約をしている店に「（この制約を）外してくれ」と要求しても、回転が落ちて利益が上がらなくなりますから、そうは簡単に受け入れることはありません。

まともな話し合いでは拒否されますから、かくなる上は例の憲法14条「不平等」を持ち出すことになるのですが、ファミレスや配給制度ではないだけに、それほど高額ではないにしても「行かなければ生きていけないという必然性はない」と司法に判断される可能性が大であります。「嫌なら行かなきゃ良い」と言われておしまいです。

よって泣く泣くこのローカルルールには従わざるを得ないでしょう。

グルメ評論家やフードライターがタダ飯や店からお金をもらっていることを隠し、いやその実態を否定して、評論を装い店宣伝していた場合、読者は騙されたと訴えられるか。その際、領収書などの証拠の開示請求ができるのか

これについてある弁護士と話した際、彼は予想外の返答をしてきたのです。

「タダ飯や店からの金もらいは常識だから、騙されたと思っている人なんていない」。

この見解に友里は椅子から転げ落ちそうになったのです。

確かに友里も己の可処分所得からの支払いで食べ歩いている評論家やライターがいるはずがないと確信していますが、ＦＢで５０００人の友達を抱える大御所評論家や、京都を中心に活躍する女性ライターの信奉者たちは、彼らのタダ飯体質を信じていないはず。

そういった〝純粋無垢な〟読者と違って、さすが弁護士になる人は民度が高いと感心しました。でも裁判所はじめ民度の高い層には当たり前のタダ飯&コンサル料徴収でありますから、実態を知らず騙されたという主張は通らない可能性が大なのです。

よって友里のように、公の発信で、彼ら彼女らの卑しい行状を地道に世間に訴えていくしか方法はありません。いや、もしかしたらこの手が使えるかもしれません。

実際は料理代を支払っていないのに支払ったとして自身のブログなどに掲載するわけですから、「人を欺き、又は誤解させるような事実を挙げて広告をした」に該当するとして軽犯罪法に抵触する可能性があるかもしれないのです。

料理評論家やフードコラムニスト、フードライターたちは、本書を読んで防衛策を練ることが必要かもしれません。

自身もしくは自身の経営する企業が飲食店に出資している・関与しているのを隠し、自社の刊行物（雑誌など）であたかも第三者的な評価であるかのように装って、良い店だと宣伝している場合、読者は何か対応ができないものなのか

ステマの一種です。消費者に気付かれないように宣伝行為をしているのですから。これは厳密には、景品表示法に抵触する違反行為であると考えます。ヒマな人や正義心の強い方は、消費者庁に問合わせてそのガイドラインを判断させることも可能だと思います。

またこの宣伝行為は、出資者なのに出資者だということを隠し〝一般客を装って〟自社の媒体に掲載するわけですから、上述と同じく軽犯罪法に抵触する恐れもあるのです。

身に覚えがある、例えば出版社の社長などは、一度顧問弁護士に相談しておく必要があると友里はアドヴァイスさせていただきます。


「食べれば食材や産地がすぐわかる」と豪語するグルメライターがいます。「本当はわからないのだろう、公開の場でブラインドをやれ」と要求する手法はないのか。このようなはびこるウソ、言った者勝ちを防止する法的手段はないのか

これも一種の詐欺行為だと思うのですが、ある種宗教と同様に裁かれるのがオチです。「こんな見え透いた嘘っぱち、最初から誰も信じるわけがない」と。

プロレスが真剣勝負だと言っているようなものだとスルーされたら、法的に追い詰めることはできない可能性が高いです。

「うちの原価率は5割以上！」と豪語する鮨職人。それを証明させる（インチキを論破する）法的手段はあるのか

いわゆる「原価率偽装」でありますが、名称や原産地の詐称ではありませんからＪＡＳ法では縛ることができません。では不正競争防止法はどうかと言いますと、雑誌の取材でウソを言っただけで表示したわけではないのでこれまた難しい。

最後の砦の景品表示法にわずかな可能性があるような気もしますが、そもそも「原価率」の定義がはっきりしていません。どこまでを原価とするのかは明確ではないのです。よって原価率の高低を数的に争うのは難しいと考えます。

しかし支店をいくつも出しているとは言え、店主の年収が一億を超え、ファントムを何台も乗り回しているとの話を漏れ聞くと、鮨店の原価率が、巷間で言われているほど高い（客に還元している）ものではないとの結論に達しても不思議ではないでしょう。

結局、法では解決しない!?

結論としましては、「グルメ界のいくつかの悪習慣を法で裁くことは可能だが、費用対

効果を考えると（裁判など実行に移すのが）バカバカしい」ということになります。

飲食業界を監視するオンブズマンのようなものが存在すれば話は別ですが、客は泣き寝入りするしかないのが現状。いやことドタキャン料に関しては、逆に店主が泣き寝入りするしかないということも述べました。

法的には限りなくブラックだが訴える人がいないからやりたい放題。これが現在の飲食業界の慣習の大きな問題でありまして、金と暇があるオンブズマンが存在しない以上、特効薬的にこの悪弊を抹殺することは難しい。よって推奨できることではありませんが

ドタキャン料は回収できない

という現実を広めることによって、店主側にもその傲慢さを認めさせ廃絶へ向かわせることが唯一の手段であると考えます。

グラスワインを頼む時の注意点

皆さんはフレンチやイタリアンなど、レストランでどのようなワインを頼みますか。ここで悩むのがシャンパンなど泡にするか、白ワインか、赤ワインか。大勢ならすべてボトルで頼めば良いですが、女性と２人の場合はこれら３種をボトルで飲みきるのは至難の業。仮に完飲できても男性はそのあと使いものにならなくなるからです。そこで利用したいのがグラスワイン制度です。

まずはシャンパンなどの泡もの。これは高額店でも多くを期待しない方が良いでしょう。ワインは抜栓すると酸化などで劣化が進みますが、泡ものはさらにガス抜けというものがあり、良い状態に当たったらラッキーくらいに思わなければなりません。開店直後の訪問で抜栓済みのボトルを見たら間違いなく昨晩の抜栓です。中の空気を抜いて栓をするものもありますが所詮気休め。これは白や赤ワインにも当てはまり、抜栓が何日も前のものは避けたいものです。

ではどう対応したら良いのか。まずはソムリエにグラス対応するワインのボトルを見せてもらうことです。何種も用意されているなら、同時に見せてもらいます。絶対とは言いませんが、誰でも知っているワイン（ボルドーやブルゴーニュ）なら、残っている量が多いほど抜栓時期が新しいはず。逆に残りわずかな場合は、飲みたいワインでもパスした方が良いでしょう。でもこれは悪賢い店には通用しません。客に見せるワインボトルと実際に注ぐボトルを別にしている店があるのです。過去に友里は、持ってきたボトルがすべて未抜栓だったので喜んだのですが、実際は抜栓していたボトルを店奥で注いでいたソムリエールに遭遇してしまった。

最後は値付けの確認です。高額店によくあることですが、持ってきたワインのグラス価格をはっきり言わない店があります。連れが女性だと格好を気にして聞くことを躊躇しがちですが、なかには１杯 5000 円もするようなグラスワインがあります。恥ずかしがらずはっきり価格をソムリエに聞くことが大事です。

第４章　飲食店の〝不都合な真実〟に対する店主の本音

店主との親密な関係があったら公平な評価は下せない。素顔の友里は食事の際、たとえそれが取材目的であってもなるべく存在を隠し行儀良くしているのであります。よって店主たちとの交流は皆無に近いし(せいぜい数名)、彼らに直接取材することもほとんどない。

しかしこの新書出版に当たって、さまざまな飲食店の「身勝手な真実」や店主たちの「本音」に迫らなければ友里が本書で述べることが机上の空論にすぎないと批判されると思い、自らに課した禁を破り店主たちへの取材を敢行しました。

ご協力いただきましたメンバーは、和食料理人(以下和)、イタリアンシェフ(同伊)、フレンチシェフ(同仏)、中国料理店主(同中)、鮨職人(同鮨)です。

それでは飲食店の真実、料理人の本音に迫りましょう。

飲食店の性悪行動について

Q1　偽装はあってはいけないと思いますか?

和:どの業界にもあることなので仕方がないと思います。この業界、罪深いものからリップサービスに近いものまで含めて「なくならないだろうな」と思います。仕方ないと言うか諦めに近い気持ちです。ただ、私は絶対にやりません。

私は職人になってから、店で一度も養殖魚を出したことがありません。が、フグと鯛の養殖ものは試食したことがあるんですね。特にフグは品薄で価格高騰を招いたことがあり、養殖ものを使わざるを得ないかも、と考えて試食しました。ですが、両方とも「香り・味わい」が天然とはあまりにも違いました。別の魚と言っていいほどです。鯛と言うな、フグと言うな、と怒りを覚えました。

伊：あってはいけないです。特に偽装することで、値段の高いもの、食材に粉飾するのは、パチものを売るのと一緒ですから犯罪です。

仏：あってはいけないことです。どこの業界でもあるから仕方ない、なんて思いません。

中：料理人のプライドとして、やらないほうがいいに決まっています。

鮨：嘘はダメでしょう。でもまかりとおっているのは承知しています。日本人がこんなことを起こしてほしくないと思います。ドラえもんのパクリだなんだって、他国を責めている国がしちゃうのはダメでしょう。モラルとしてダメです。

友：確かにウソはいけないと思うのですが、ビジネス界ではウソは必要悪で堂々とまかり通っているのです。総理大臣の解散権ではないですが、商売上での交渉ではウソは構わない、これが現実です。購買担当から「他社の方が安い」と言われて、高くないのに値引いてしまった営業マンの会社、同情されないどころか「アフォだから騙されるんだ」となるわけです。ウソではなく駆け引きだと正当化しているわけですが、店主の説明やトーク（和の方の言い回しを使うとリップサービス）も客との駆け引きだと考えるなら、なぜ飲食業界だけバッシングされるのか友里は理解できません。

食材や産地の偽装もあって当然と客側が思うこと、騙されるのは客も悪いのだ、という他の業界の常識を持ち込んでも構わないかとも思うことがあります。

こんな価格で天然が出せるわけがないだろ、こんな味や香りが天然であるはずがない、という客側のレベルアップは必要です。

Q2　ブランド食材、違いがあると思いますか？

和：ありえます。ブランドの魚が10本あるならば、8本良いものがあります。ブランドでないものですと10本中1〜2本というところでしょうか。私たちの仕入れでは、ブランド間で比較して、なかでより良いものを仕入れるということになります。

伊：ここの産地、このブランドじゃないとダメ、というものは確実に存在します。付け合わせとか、差が出にくいものに関してはブランドにこだわらず、しっかり吟味するようにしています。そして節約した分を、メインの食材に回して、ブランド食材を仕入れるというのが私のスタイルです。

仏：まずメニューに載せたときの価値がまるっきり違いますね。味わいに関しましては、大きく違いが生じるものとそうでないものがあります。あとお客様にとっての信頼性もブランドか否かで大きく違いがあります。

中：あります。でも、ブランドものといっても良い状態もあれば悪い状態もありますから、ブランド食材だから良い、と盲目的になってはいけないと思います。

鮨：（違いは）あるんですけど、そんなに単純じゃない。産地だけじゃなく、漁法、個体差などいろんな要素が組合わさって「ピンの魚」になるんです。求めるレベルによりますが、産地だけで見たら9割はまずい魚。一流の魚というのは本当に少ないんです。

友：あくまで素人の見解ですが、ブランドと非ブランドの質の違いはあると思いますが、そのブランド特有の個性がはっきりしているかどうかは疑問です。

例えば、神戸ビーフと松阪牛、大間と戸井の鮪、関と岬のアジや鯖、間人と津居山のズワイガニ、フランス産のセップとイタリア産のポルチーニなど、ブラインドで食べ比べて、どっちがどっちか、いや優劣が果たしてつくのでしょうか。個体差がありますから、勝敗は毎回異なるのではないかと思います。

Q3　客を出入り禁止にしたことはありますか？

和：あります。酔っ払って、閉店時間を大幅に超え、どんなにお声がけしても帰ってくださらない常連さんでした。

伊：ありません。

仏：ないです

中：ないです。

鮨：あります。ほかのお客様と複数回トラブルを起こされた方でした。

友：思ったより出禁発令は少ないんですね。友里のように、一人で5軒ほどの出禁の勲章を持つ者は非常に希かもしれません。しかし友里の出禁理由とまったく次元が異なりますね。そういう理由なら、出禁は当たり前です。

Q４　出入り禁止自体をどう考えますか？

和：お金をいただいている以上、お客様がお客様のフィールドで、私の店を批判されてもそれは甘んじて受けるしかないです。出入り禁止なんて極力避けるべきです。でも、店の中でやってはいけないこと（他の客に迷惑をかける、そのレベルまで酔っ払う）が起こったら出入り禁止にせざるを得ないです。

伊：好きじゃないです。安易に出入り禁止を振りかざす店は、「お客様に来ていただいている」という初心を忘れているのではと感じます。

仏：「あなたは出入り禁止です」なんて言いたくないですよね。

中：店ごとに勝手にすればいいんじゃないですか。僕はしたくないですけどね。

鮨：したくないですよ、それは。でも店は特定個人のためにあるわけではないですから。料理人は複雑な思いを抱えて料理すべきではない。それでうまいものは作れません。もしあるお客様の言動が度を超えて、それが他のお客様、そして料理人の心情をネガティブにするようならば、やむを得ないのかもしれません。

友：店内での問題言動はいけませんね。でも店外（ネット配信など）の批判や問題提起による出禁宣告は腑に落ちません。店側からは「イヤなら来るな、まずいと思うなら来るな」との主張もありますが、「批判がイヤなら店出すな、イヤならどこかのお抱え料理人に甘んじていろ」と返させていただきます。

Q5　予約困難を演出する店をどう思いますか？

和：早い者順ではないんですか！　お客様が余って余ってしょうがないなんてすごいですね。その余裕があるなんて、経営上ほんとすごいと思います。

伊：そもそも疑問なんですが、そんな店が実在するのでしょうか。どの店も可能なかぎり、席は埋めたいものです。店のオペレーション上、席数分だけのオペレーションをこなせなかったり、忙しすぎて、ある特定時間しか電話対応できなかったりということではないでしょうか。演出ではなく、整理だと思うのですが。

仏：演出してないと思いますよ。その料理人のキャパの範囲で、忙しすぎるんです。

中：演出ではないのでは？　あらゆる意味での店のキャパの問題だと思います。ある意味同情しますけど。

鮨：実際に本当に予約困難になった店がありますね。お客様心理をうまくつくな、と感心します。自分はしませんが、まあ人の勝手です。

友：ありゃりゃ、このような店の存在を鮨店主の方以外はご存じないのですね。行列の長さを調整するラスクと同じく、狡猾な店主はいるんです。

Q6　常連客の予約を一般客より優先することをどう思いますか？

和：常連のお客様を優先するのは当然と思います。ただ一度、大変お世話になっている常連様のごり押しとも言える要求に応えた結果、あおりを受けた方に大変悲しい思いをさせてしまったことがあって…。いまは予約も席の位置も、先着順にしております。

伊：私は悪いことだとは思いません。一定ルールを設定し、一般のお客様にも門戸を開放しつつ、けれど心の通じた信頼関係を築いている常連様を優先するのは、店としては致し方ないことだと思います。

仏：私は自然なことだと考えているのです。お客様の好みがわかって、コミュニケーションをとって、そんな信頼関係に基づいて調理する料理が一番おいしいですから。やはりパーソナルに対応した、完成度の高い料理を召し上がっていただきたいです。

中：常連様、しかも良いお客様とあったら、断れないです。でも、常連半分、新規の方半分くらいの割合が、店にとって緊張感や新鮮さがあって良いバランスだと思います。

鮨：常連の方の店への愛情になにかで応えたい、というのは自然の感情ですから仕方ないと思います。でも、初めての一回だけのお客さんに来てほしい、喜んでいただきたいという気持ちを忘れてはいけない、と自戒を込めて、店の若い衆に常々言っています。

友：常連客への配慮の一環ですから、これは当然アリだと思います。ただし、噂を聞いて入店したい一見客にも、少しは門戸を開いておいてもらいたいものです。

飲食店は客をどう見ているのか？

Q7　常連と一見客、差別（区別）はしますよね？

和：します。具体的には、うちは基本コースですが、一見の方には、コースどおりのメニューを提供いたします。常連の方には、コースを崩します。品数を増やすこともあれば、様子をうかがって内容を差し替えもします。接客も、厚いものになりますね。これにはうちが大箱店でない、カウンター中心の割烹であることが影響しています。常魚もピンに限りなく近いものを仕入れます。イコール、数量にかぎりがあります。常連の方の中には、店と客を超えた「一生のお付き合い」と思えるような人間関係もあります。そうした、良いときも悪いときも支えてくださった方々には恩義も感じております。ですので、皆を平等に扱うことは、食材的にも心情的にも難しいですね。本当に皆平等を目指すなら大箱店に私はします。それは、サービスも食材も画一的になり、ピンを目指さない、目指せないという意味です。

伊：基本的なサービスや調理に区別はないです。が、常連様のことをより知っている分、付加価値の質が変わってきます。味付けもその方の好みを反映できますし、食材の中の一番いい部位は、常連様に使います。今日はあの方が来るから、この食材のこの部分を食べさせてあげたい、とか考えますからね。常連様のほうによりきめ細やかなサービス、料理を提供できますし、彼らにはそれを受ける権利があると考えています。

仏：常連様と言うかソワニエ、ということならば、区別はあります。同じ個体の素材でも、一番良い部位、そして、座席にお好みがある方ならばそこを空けたり。もちろん、初めての方や、ソワニエではないからといって手抜きをすることはございません。

中：差別も区別もないよう、心がけています。一方で、嗜好や性格まで知っている、常連の方になにもしないのは不自然だとも思います。食材のより良い部分を使ったり、料理のアレンジをしたりということはしています。それは関係が深まって初めてできることですし、お客様に要求されてすることではないと思っています。

鮨：常連の方には魚の良いところを食べていただきたいと思います。一方で、初めてのお客様も記念日などで、決して安くない私のところに覚悟と期待を持って来ているのかもしれないです。それは期待に応えて良いものを出したいと思います。どちらが、なんて言えないです。

友：常連客を優遇するのは友里も当然だと思います。友里の本業である製造業や流通業でも取引量が多い客、昔からの客には価格的なメリットを提供するのは常識です。料理と違って品質の差は出せませんので。これは資本主義の社会では仕方がないことです。問題はその区別ですね。最近は皿数や料理の違いだけではなく、提供する部位などの違いを見て不満に思う一見客もいると聞いております。友里も、初訪問の店で常連客が優遇されているのを見ると、僻むというか複雑な思いになります。なるべくなら一見客にはわからないように、しかししっかり区別をしていただきたいものです。
ところで鮨職人の方が言われているように、「記念日」として来た客、つまり気に入ってももう来られない最初で最後の訪問、みたいな客への対応は考えさせられます。ドライに言わせていただくと、そこまで考えたらきりがない。彼らに配慮して常連を犠牲にできるのかとの問題も出てきます。ピンの食材や部位は限られておりますので。

Q8　酒を飲む客と飲まない客、区別は当然と思いますか？

和：お酒を大量に飲むお客様は、例えば食事代1万円お酒代1万円、ということもありえるのです。和食屋でこれは価格バランスが悪い。ですので、酒のつまみを追加したり（もちろん料金は乗せません）と、バランスをとるようにサービスいたします。

伊：偶然その日だけ、体調が悪かったり、車でいらっしゃっているのかもしれないですから、区別はしません。

仏：区別はしません。ただワインに合わせる料理に対して、いっそうの気合が入ったりということはあります。

中：それはしません。西洋料理と違って、お酒が売上げに占める割合が小さいですしね。

鮨：しません。握りだけを食べるお客様は、お茶でもいいと思いますし。ところで鮨屋は酒を飲まない場所という印象もありますけど、それはちゃんとしたつまみを出す店が少なかったから。いまは違います。うちはどちらも対応していますが、でも、酒で儲けようとは思ってないです。そうしたら、料金が高くなりすぎますし。

友：これも皆さん、想定外の回答でありました。客単価が倍半分の違いとなる（洋食の場合は数倍になる可能性大）飲んべえと下戸を区別しないとは意外であります。世が下戸客ばかりだと店は料理でしか利益を上げられませんから、現状の料理価格ではやっていけなくなるのではないか。飲んべえで客単価に貢献している身としては、正直なところ不公平にも感じてしまいます。同じ飲んべえでも、高い酒専門と、ハウスもの専門の客との区別も必要であると、飲んべえ友里はアピールします。ただこの考えは、個人経営とグランメゾンのような規模の大きな店では変わると思います。ということでグランメゾン系に取材したのですが、「下戸客がほとんど来ないから大丈夫」とこれまた想定外の回答でありました。グランメゾン系は下戸客の侵入率が低いようです。

Q９　身なりや職業で客を区別することはありますよね？

和：職業では差別しません。おいしいものを食べたいという気持ちはどなたでも一緒ですから。ただし身なりでは区別します。偏った考えかもしれませんが、身なりすらキチンとできない人間は、すべてにだらしないと、従業員に常日頃教えているんです。カウンターという狭い世界では、お客様にもご配慮いただきたいと思います。

伊：身なりは見ます。経験で学んだことですが、きちんとしている方は「食事を楽しむ」良いお客様が多いように思います。常連の方々は初見の時から、きちんとした身なりの方でした。だらしない方は、お客様として劣悪なケースが結構多いです。

職業は、区別しません。何度かいらしていただいて、個人的な関係が生まれるまで、どんなご職業の方かわからないことが多いですし。

仏：私はどちらも気にしないですね。

中：身なりで差別はしませんが、区別はあります。きちんとした格好をされて、しかも料理を楽しんでらっしゃる方には、背筋がシャンとしたサービスになります、自然に。職業ですと、同業者で勉強に来る方、マスコミで勉強に来る方、そういう方々には、ちゃんと手の内を教えて差し上げたいというような、サービス精神が働きます。

鮨：身なりはきちんとしているほうがいいですね。お客様が店を造るところもあって、雰囲気を貶めるのは他のお客様に対して失礼に当たると思います。大人としての節度の問題ですね。実際、よくいらしてくださるお客様はちゃんとしている印象があります。職業は気にしないですし、こちらから聞くこともありません。

友：身なりは重要だと思います。ただし高いものやブランドを身に着ければ良いというものではないでしょう。その人に似合う範囲できっちりしていれば良い。店の雰囲気を壊さないことが条件だと思います。こう言ったら怒られそうですが、身なりを問題にする店主の服装（普段の服装、例えば非番の日の外食着など）大丈夫でしょうか。半グレと見紛う服装の人をたまに見かけます。

職業は関係ないとのことですが、そうすると、名刺を出したり、自分の仕事の凄さを自慢する客、作家先生や医者、弁護士、芸能人も「無駄な努力」をしていることになりますね。個室対応の店によく見られますが、美人秘書を引き連れた社長も、店からは優遇されていないということでありましょう。

Q10　ランチ客と夜の客、区別しますか?

和：区別はありますね。夜にいらっしゃるお客様が昼にいらした際には、サービスで刺身を切ったり「夜に期待がつながる」おもてなしをします。が、昼だけのお客様には、それはしないです。また、夜にじっくりいらっしゃるお客様は、信頼関係がありますので、お昼時でもカウンターをはさんで会話も弾みますが、昼だけのお客様は、サッと食べてサッと帰られる方が多いですし、なにより「料理を楽しむ」ことが目的でないケースが多いですから、食への興味があまりない方も多いのです。

伊：食材もかける気持ちも一緒ですし、区別はないです。でもお客様が違いますね。夜のお客様は、「料理を自ら楽しむ」方が多いです。食経験が豊富で、コストで計れないものを求める方々です。昼だけのお客様は「どう楽しませてくれるの?」「どれだけお値打ちに食べさせてくれるの?」という方々です。料理の良し悪し以上に「コスト」を気にされます。

仏：食材も、カトラリーも、なにより価格が昼夜で違いますから。調理にかける手間は一緒ですが、より高いお支払いをしてくださる夜のお客様に、サービス含めいっそうの力を注ぐのは当たり前だと思います。ですから夜を経験しないで、店のことを（食べログほかに）書かれるのは残念です。夜でも日によってどうしてもバラつきはあります。レストランとはそう言うものだとご理解いただき、昼も夜も、可能であれば複数回ご体験いただいた上で評価いただけるとうれしいのですけど。

中：区別ないです。昼のお客様が夜につながることもありますし。昼は単品しか出してないですから、層が異なるのは当然です。もちろん夜のお客様はゆっくりと食事をされる過程で、気心の知れる関係になりますから、サービスの質が異なったりはします。

鮨：昼は営業していないので答えようがありません。

友：それなりの店へ昼時行く人は、夜には行かないランチ専門客が多いと思います。食材が同じでも価格やメニュー、質が違うことが多いですから、昼と夜の料理は本来まったく別物のはずです（昼夜同価格の店を除いて、高額店ほどこの傾向は強い）。ですから夜の料理を知る人は、普通昼は行かないと思います。こう言っては格差助長だとか言われそうですが、ディナー客の立場として言わせていただくと、ランチとディナーは大きく差をつけていただきたい。

価格が違いますから同じ食材や同じ注力度なら不公平です。しかもシェフや板長といえども人間ですから長時間集中するのは難しいはずです。はっきり言いますと「昼に頑張りすぎると夜に影響する」。マー君やダルビッシュなど優秀な投手は、すべての打者に全力投球なんてしません。そんなことをしたら、バテて長いイニングを投げられない。つまり、下位打線などにはある意味手抜きをするのが一般的です。飲食店の場合は、この下位打線に値するのがランチ専門客だと思います。グランメゾンなどでは、昼はシェフ不在の店も多いと聞いております。この区別は店のクオリティ（勝負となるディナー）を維持するための必要悪と友里は考えるのです。

Q11　香水をつけた客、喫煙客を区別しますか？

和：答えが見つからないのです。香水やタバコの匂いと同様に「体臭」もあります。これもきついし、隠すために香水を使用する方もいる。でも身体的なものはなにも言えないです。他のお客様に影響するものでもあるのですが、答えが見つからないです。

伊：とても気になります。他のお客さんにとってテロみたいなものですね。でも、昔に比べてそういうお客様は減りましたよ。

仏：おしゃれなどライフスタイルの一環ですから、仕方ないとも思います。ただほどほど（他の客に迷惑がかからない程度）であってほしいです。うちはカウンターの店ではないので、まだ良いのですが、カウンターですと話が違ってくると思います。

中：すごい気になります。でもお客様ですし区別できないですよ。なにより、それを指摘し、時と場合によってはお引取りいただくだけのサービススキルが私にはありません。それは、鮨屋や割烹の大親方、ああいうカリスマのみ許される気がします。

鮨：汚い格好で来るのと一緒です。モラルとしていけないと思います。その場で注意はしませんが、お見送りの際に、「次回は控えてくださいね」と言うことはあります。

友：カウンターの店やフグ、鮨などで遭遇すると、叩き出してやりたくなります。フレンチやイタリアン、中国料理のテーブルでも勘弁していただきたいです。彼女ら（彼らも）は麻痺するのか、どんどん強く匂いを発してくると思っております。これは仕方がないのですが店員のすごい体臭、たまに遭遇しますが、食欲や飲欲が失せてしまいます。交通事故に遭ったと我慢しなければならないのでしょうか。

Q12　ドタキャン客をどう思いますか？

和：とてもショックです。仕入れも仕込みも無駄になりますから。でも対策はしていません。飲食という水商売の一部だと、想定内の事柄だと考えないとやってられません。

伊：起こってしまったことは仕方ない、と思いネガティブな風に考えないよう努力しています。それでも予約をお断りしてしまったお客様のこととか、考えてしまいますけど。性質が悪いのは、掛け持ち予約をされている方ですね。12月などイベント時期ですとそういうことが多いです。対策はとっていませんし、なにをやっても防ぎようがないと思っています。でも責めるようなことを言ったり、態度には出さないです。「またいらしてください」と一声かけさせていただいて、尾を引かないよう心がけます。

仏：それはショックです。仕入れを頑張り気合入れて仕込みをして、それが水の泡になるのですから、体の力が抜けます。予約をお断りしたお客様もいるわけですから。ドタキャンされるのは、初めて予約をくださった方が圧倒的に多いですね。もちろん急病や急なお仕事、ご不幸は仕方ないと思います。
同様に、ご連絡無しでの人数変更も大変困ります。これは頻繁にあります。やはりご連絡いただくのがマナーだと思います。対策は、ソワニエを除き、確認の電話をかけさせていただいています。ドタキャンはかなり多いので、時にはフランスのようにリコンファームを習慣づけても良いか、と思ってしまいます。店側とお客様の両方が、最低限のマナーと緊張感があるほうが良いように感じてしまう今日この頃です。

中：このやろう、とは思っちゃいますけど。でもやむを得ないケースもあるので仕方ないです。一瞬ムッとするだけで、根に持つこともありません。

鮨：ご不幸、急病、急なお仕事。これは不可抗力です。仕方ないと思います。でも、不誠実なドタキャンに関しては、「とんでもない」と思います。小さな店ですから、お客様を想像しながら「これは食べさせたい」とか考えて仕入れに命をかけます。気持ちを強く持たないと、その日の仕事に差し支えるほど落胆しますね。対策としては、一見の方や関係の浅い方には前日に確認の電話をさせていただくようにしました。やはりドタキャンは一見の方が多いのが実情です。

友：確かに避けられない理由（急病や不幸、出張）でのドタキャンは仕方がないですが、それ以外は論外です。でも今回の皆さんの回答で友里はちょっと驚いたことがあります。ドタキャンが精神的にかなりダメージなんだなと。

またまた私の本業の話になりますが、客は発注先を決めていて出す気がないのに見積り依頼をしてくることがよくあります。口では「安ければ必ず出す」と言いながら単なる当て馬なだけ。決めている発注先の価格をチェックしたいだけの理由です。なかには、競争見積りを演出するためだけの場合もあります。見積り依頼を出したという事実を造るだけで、見積り書の内容は価格さえも見てくれない場合もあるのです。見積り作成にはかなりの時間と人件費を要するので物理的ダメージも大きいのです。このように飲食の世界では行く気がないのに予約してのドタキャンが批判されますが、注文する気がないのに注文するような口ぶりで見積り依頼をしてくるという悪弊に慣れている我々の業界は、ある意味打たれ強いと思い直したのであります。

Q13　同伴客をどう思いますか？

和：なんの問題もないです。

伊：良い方も悪い方もいます。そこは同伴か否かでなくお客様の性格では。でも早く帰る方が多いですから、店の回転上は良いお客様ですよね（笑）。

仏：基本は気になりませんが、傾向として「会話や振る舞いが下品」であるとは言えます。

中：好きです。かわいい方が多いですし（笑）。

同伴で中華って正直、流行らないと思うんです。それでもいらっしゃる方は、男性でなく女性が「中華食べたい！」って主導権を握って来るケースなんです。そういう女性は食べることに目がなくて、食べたいものがはっきりしている人。とても良いお客様であるケースが多いんです。

鮨：属性ではなく、お客様それぞれです。ただモラルのない方は困ります。

Q14　下戸客をどう思いますか？

和：最初の一杯くらいは飲んでいただきたいな、と営業上思います。でも最近は最初から最後までお茶、というお客様も増えましたけどね。

伊：全然いいんです。でも節約が目的のためにそうしている方は、微妙な気持ちになりますね。安く上げることより楽しんでほしい。そう思います。

仏：体質だったり車利用だったりすることもあるので、仕方ないです。そこにネガティブな意識は持たないようにしています。

中：全然問題ないです。気になりません。

鮨：問題ありません。

友：まとめて総括します。確かに人それぞれですから、同伴でも雰囲気の良いカップルは多いでしょうし、センセイと呼ばれる人の中には謙虚な人もいるでしょう。初心者も将来これから大事な客になるかもしれませんし温かく見守る気持ちも理解できます。でも酒だけしか飲まない客は論外です。あと頭を張り倒してやりたくなるのが、料理に感激したのかカウンターに突っ伏して涙こぼす客。男性に多いです。また入店してきて店主に「今日は幸せになりに来ました」と手を合わせる男性客。頭は大丈夫かと思いましたね。

Q15　外食通を自称する弁護士や医者、味がわかる人多いでしょうか？

和：食べ歩いてらっしゃる方は多いですけど、味がわかる人もわからない人も、その比率は他の職業の方々と変わらないと思います。

伊：他業種に比べ多いとは思いません。飲食店にお詳しい方は多いです。でもステータス（どこに行ってどんなものを食べた）目的の方が多いと思います。この店を知っている、この店はちやほやしてくれる、そちらを重視されているのではないでしょうか。

仏：まずこの職業の方々は、確実に名刺をくださいますね（笑）。食経験が豊富であることは間違いないですが、傾向は分かれます。まず「店目的」の方、これはブランド主義と言えるでしょう。わかっているお客様だと「味目的」。

中：同伴でも言いましたが、中華はもはや〝威張りが効く〟虚栄心を満たすジャンルじゃないです。それでも来る弁護士さんやお医者さんは、「店」じゃなく「食」ありきですから。経験豊富で詳しくて、味がわかる方が多いと思いますよ。

鮨：経験は豊富ですよね。そして食べるのが好きな人が多いです。でも接待費が厳しくなって外食をしなくなったその業種の方は大勢いますよ。自腹でもなお食べにいらっしゃっている人は、本当に食べることが好きな方（＝味のわかる方）だと思います。

友：確実に名刺を渡してくる、思わず笑ってしまいました。店からは職業を尋ねないでしょうが、客が勝手に己の商売を開陳するのがこの弁護士と医者だと思います。彼らは接待される側でほとんど接待したことがないですから、言葉遣いや態度を見るだけで、名刺を見なくても職業が一発でわかると思います。キャリア官僚もですね。

強烈個性が想像される関西人（客と店）について

Q16　関西から来る客、味がわかる人は多いですか？

和：別に多くないです。でも特に和食ですと「関西が本場」という自負があるのでしょうか、あるいは県民性なんでしょうか。感想なりご意見をズバっとおっしゃる方は多いですね。正しいか否かはともかくとして。

伊：イタリア人って、コストにうるさいんです。そういう意味では関西方面のお客様は東京のお客様よりイタリア人っぽいですね。味よりコストにうるさい、と思います。

仏：あまりそちら方面のお客様はいないので、答えかねます。

中：東京と変わらないと思います。ただ野菜は京都とかおいしいですから。それを子供の頃から食べている人は、野菜にはうるさくなったりしますよね。

鮨：人それぞれです。関西人が優れているとも劣っているとも思いません。

友：確かに関西客はコストにシビアですね。いくつかのコースが設定されている店では、決して最高値は選ばない人種です。あくまで私見でありますが、本物に近い(郷土色ある)料理がない環境で食べまくっていますから、食通を自称していても、よほど頻繁に海外へ行っている人でない限り、日本風にアレンジした料理しかわからない人が多いでしょう。

Q17 関西の高額店、東京よりレベルが高いと思いますか？

和：まったくそう思わないですね。魚をはじめ、マツタケなど、東京のほうが良いものが入手しやすいですし。西からも築地に食材が集まって、それを西の和食屋さんが買っていくくらいですから。ただ、東京と関西の料理屋は演出が異なるように感じます。

伊：東京のほうが味のレベルは高いです。ただ関西のお客様が求めるのは味ではないですよね。値段とサービスのノリ。店はお客様によって成長します。食材や味への追求は東京のお客様のほうが質が高いです。結果質の高い店は東京のほうが多いと思います。

仏：レベルは競争の激しい東京のほうが間違いなく高いです。関西は値段が安いです。

中：変わらないと思います。ただ味付けが違いますよね。

鮨：鮨は東京が上ですよね。和食は、東京の店は定休日が一緒なのでむしろ京都の店に行っています。なので比べようもないですが、別に京都で味そのものに感動したことはないです。ただ庭ですとか器ですとか、そういった総合的に素晴らしいものは京都ならではというものがあります。

友：ここまで言い切ると関西出禁になるかもしれませんが、客が客ですから、関西の店は東京にまったく及びませんね。数少ない真っ当な京料理店を除いて。客が店を造る、とも言われていますから、当然の結果だと思います。詳しくは第6章で述べます。

料理人の虎の穴？　疑問の調理師学校について

Q18　調理師学校に大金払って通う必要があると思いますか？

和：昔の職人は皆〝でっち〟ですから。腕にはまったく関係ないですね。学校に入る人たちはまだ明確ななにかが見えていない段階です。そこで将来の目標を定めたり、人脈を作ったり、ということができるか否かは生徒次第です。

伊：技術的には関係ないです。しかし、人脈が役に立つことがあるので、行く必要がないとは思いません。漠然と料理の道を考えているような人は、学校に入るのも良いと思います。

仏：レストランで学べることと学校で学べることは違います。技術習得であるならば、学校である必要はありません。ただ学校ですと調理師免許を取れるというメリットがありますね。

中：いまの若い子は「教えられないとなにも始まらない」特徴があるんです。ならば学校に行くほうが良いように思います。調理師免許も取れますから。自分を持っている人や目的が明確な人はどこでも大丈夫です。

鮨：人それぞれです。ただ、若い子は打たれ弱いので、学校で学ぶなど、途中過程があってからのほうが、良いのかもしれませんね。自分はいきなり店に弟子入りしましたが、自分で覚えるという世界ですから。学校は教えてくれますからね。

友：私もある有名店主たちから聞いたことがあるのですが、調理師学校へ行く人は、料理人になろうとの強い意志を持っていない。とりあえず入学して、まあ入ったから料理人の道へ行くかな、とこの業界に入ってくるそうです。何でも教えてもらう、本場への研修先（短期間なので修業ではない）が与えられる、など甘えさせられているので、店に入っても受け身のみ。指示されないと動けない人が多いようですね。ホテルなど大箱店が使い捨てで採用するには良いのでしょうが、独立してバリバリやっている料理人や人気の料理人にこの手の卒業生は皆無だと聞いております。調理師学校の経営者の中には、ニューヨークで合弁の飲食店を出して自身の著書で宣伝に勤しみ、カイエンやベンツなどに乗って気取った優雅な生活をしていますが、大成した卒業生の実績をほとんど持っていないことを自覚するべきです。調理師免許を取ることができるのがメリットだとの意見もありますが、飲食店では持っていても損にはなりませんが調理師免許は必須ではありません。

Q19　調理師学校講師、どんな人が就任し、そして腕はあるのでしょうか？

和：新卒でその組織に入る方、大手の料亭や旅館から中途入社する方が多いのではないでしょうか。腕の問題ではなく、性質の問題です。自らの店をリスクを背負ってやるというメンタリティがないのですから、店を構えられないし、構えたくない人たちです。

伊：料理人のライフスタイルが嫌いな人たちがやっています。水物で拘束時間が長いのはいやなんです。知り合い（の講師）はサーフィンを優先しました（笑）。だから店をやる腕と言うか精神がないですよね。料理人でなくコンサルに進む人はいます。

仏：卒業生の就職が多いと思います。腕はないですよ（笑）。

中：卒業生が多いです。安定志向の強い人は水物の商売はできないですよね。

鮨：まったくわかりません。

友：予想通り、実際に店で鍋振った経験のない人が教えているんですね。これでは、実際に客と交渉した経験のない人が営業を教えるようなもので、意味がないではありませんか。しかも安定志向でサラリーマン的な性格だとは驚きです。客と対峙したことのない人が、これから客と対峙しなければならない生徒にノウハウを教えられる訳がない。調理師学校出身で、パッとした料理人を見かけない理由がわかりました。だいたい、成功している料理人が店を捨てて調理師学校の講師になるはずがありません。調理師学校、高い授業料の対価に見合うものを得られるとは思えません。

店主の本音から見えた、グルメの破壊者たち

世に多くの料理店評価本が出ておりますが、ここまで店主たちの本音に迫った（本音が出ていない部分もあるかなと）ものはないと確信しております。真摯に回答いただいた皆さまにあらためて御礼申し上げる次第であります（さらなる本音は「おまけ」をご覧ください）。

本章の当初の目的は、飲食店の暗部、タイトルにもあるグルメ界を堕落させる店側の本性を大きくクローズアップしたいと思っていたのですが、彼らの回答から逆に客に対しての疑問や怒りを抱いてしまった。

特に「ドタキャン」、ここまで料理人を精神的に苦しめているとは想像しておりませんでした。一部のドタキャン客のおかげで、料理人が心にダメージを受けてその日の調理を続けたら、残された客（ドタキャン客以外）が不必要な不利益を被るではないか。グルメの堕落は客側にも大きな問題があるのではないか。

一般客目線で店と店主を斬ってきた友里でありますが、次章からは「客の弊害」に踏み込もうと考えた次第であります。

通ぶりたいならブルゴーニュ好きのフリをしろ

ソムリエにも連れの女性にも蘊蓄を言わず、知識自慢もせず謙虚に振る舞えと言いましたが、実際のところこれに徹していたらおもしろくない。いつまでもワイン通のフリができない。女性の前で見栄を張らなければならない「ここぞ」という場面もあるでしょう。この章ではとりあえず何を勉強し経験したら良いか、を考えます。

期間と予算が限定されているならば、アメリカや日本ワインなんて目もくれず、フランスのブルゴーニュに特化すべきです。ワイン好きの中ではブルゴーニュ好きが格上に見られると言いましょうか、白赤とも圧倒的に“ブル好き”が多い。考えられる理由は、1つの生産者が造る本数がボルドーに比べて一桁も二桁も少ない。大箱店がボルドー、紹介制の小キャパ店がブルゴーニュ、という感じでしょうか。より希少価値が高いと信じられているのかもしれません。

しかし友里はそれだけで勧めているのではありません。ブルゴーニュは一つの生産者の製造本数が限られているのですが、逆に生産者の種類やワインを造る畑名が数え切れないほど多いのです。

おいおい、それでは知識や経験を積むのが難しいではないか、と反論されそうですが、それは違うんです。あまりに数が多すぎて、日本一のソムリエですらその全体を掌握していない。

しかも誰でも知っている高級ワイン（ロマコンやモンラッシェ）は天文学的に高いですから、経験者は意外と少ないんですね。ですから、ブルゴーニュの概要をちょい勉強し、あとは人がやっていなさそうなワイン生産者をいくつか見つけてそれに特化すれば良い。

仮に自分の勉強した生産者のワインがその店になかったとしても、ソムリエには謙虚を装いながら「…が好きなんだけど、似たような生産者のワインはあるか」と聞きますと、ほとんどのソムリエはその生産者の存在を知らないながらも一目置いて、似ていないワインを勧めてくると思います。その際は、味がわからなくても「なるほど、傾向は似ていますね」とか見栄を張ることを忘れてはいけません。

第5章　好待遇を求める一見客やスレた常連客の弊害

「モンスター客」がグルメを壊す

客側の立場をとっている友里でありますが、はっきり言わせていただくと飲食店の客もグルメを壊す片棒を担いでいる、いやその蛮行が大きな問題となっているのではないか。

友里稼業を始めて10年以上になりますが、これまでは「性格の悪い料理人（店）」や都合の悪い真実（本当は高くてうまくもない）に両目を瞑り賞賛・絶賛を繰り返し一般客の利益を阻害し続けてきた「グルメ評論家はじめグルメメディア」を攻撃してきました。が、この章からは「客」についてネガティブな意見を大きく発信していきたいと思います。

現在少なくとも客側には、食べログなどグルメサイト、あるいは個人ブログやツイッターなどその伝播力は不確かながら、「店への批判（誹謗中傷）」をぶちまける場は大なり小なり用意されています。実際シビアに書いている人は希でありますが……。

「店主だってブログやSNSで書きたい客への文句を書けばいいじゃないか」との意見もありましょうが、それはかなり難しい。

障害を持つ男性作家（タレント）と店側との車椅子担ぎ上げを巡る大騒動は記憶に新し

い。タレントの批判ツイートを受けて店主が反論しただけなのに、ある大学の特別招聘教授（俄＆なんちゃって教育者）までが店主叩きに乗り出してしまった。あるいは水代（コペルト）に端を発したタレントシェフ（後述）のブログ炎上などなどもありました。

これらの騒動が証明するように、仮に正論であろうと下手なことを言うと炎上、場合によっては閉店まで追い込まれかねないという、集団ヒステリーのような現実が店主たちの自由発言を抑制してしまっているのではないか。

かくして店主たちは真っ向から客に対峙することを避け、コソコソと原価を抑えて高く売りつけるなど、ボロ儲け主義で客側に反撃しているとヘソが曲がった友里は考えるのであります。飲食業界の問題点は、店主たちだけではなく客側にもあると。

本章では、己のことしか考えないこの「モンスター客」とも言うべき存在ついて問題提起をしていきたいと思います。

「敵（店主）の敵（客）は味方」と言いますが、友里は味方にすべき客をも敵に回して敢えて苦言を呈したい。それが一般客にとって「他山の石」となり飲食業界の健全化に繋がると確信しているからであります。

それでは以下にその実態を明らかにしていきましょう。

〝貧乏人〟が高額店を劣化させる

正確には、金銭的な貧乏ではなくさもしい心根の人たちでしょうか。

高額店と縁のない人たちが高額店に対し己の常識、慣れ親しんだルールやマナーを持ち込むことはNGです。喫煙や大騒ぎといった高額店に相応しくない雰囲気になってしまったら、店の損害は計り知れないからです。自意識過剰に騒ぎ立てる関西人に占拠された関西飲食店、東京でも中国人（貧乏ではなく裕福でしょうが）が多く立ち入り雄たけびが駆け巡る店は、劣化が進んでいるといっても過言ではありません。

未だによく出くわす光景ですが、隣りの客への迷惑を顧みず同伴女性を口説く若い成り金客。その相手が香水プンプンだったらその迷惑度はさらに膨れ上がります。

また常連にありがちですが、しつこく店主に自慢をし続ける客も問題。「どこそこの有名店へ行った」自慢ならまだマシですが、豪華な旅行やブランド持ち物の自慢や蘊蓄を語る自称セレブ客。残念なことに、さもしい心根ながらそんな人ほどお金に余裕がある場合が多いですから、店側もその横暴をやめさせるのが難しい。かくして、客単価2万円以上の高額店の雰囲気が、場末のキャバクラと大差なくなっていくのであります。

食材の質や調理レベルは店主の才能、モチベーション次第ですが、店の雰囲気や風紀は店主だけではままならない。客が造り出すものでもあるのです。

シェフのブログ炎上から垣間見える〝貧乏客〟の心理

2013年に問題になったタレントシェフのブログ炎上を覚えてらっしゃるでしょうか。事の発端はタレントシェフの雑誌のインタビュー。

「人を年収で判断してはいけないと思いますが、年収300万円、400万円の人が高級店に行って批判を書き込むこともあると思うんです。(水代を)1000円や1500円取るお店だってありますよ。そういうお店に行ったことがないから〝800円取られた〟という感覚になるんですよ」

そのタレントシェフの店が「高級店」とは思えませんし、そもそもサービス料を「水代」などと称さなければ問題はなかったと思うのですが、一方で彼の言っていることはある意味正論でもあり、賛同するところが多い。

基本的に海外では水は有料だし、高級店で水道水を黙って出すところはまずないですから、水代800円というのは日本では珍しくない。そういう高級店（この店は高級店ではないですが）のことを知らない人も郷に入っては郷に従わなければいけないはず。

つまらないグルメ番組やグルメ雑誌に乗せられて、客単価の高い店へ行こうと考えるなら、経験がなくても事前に勉強しておかなければならない。戦後日本をダメにした

何でも平等

という偏った考えの蔓延で、義務なしでも権利を主張するという恥知らずな国民が多くなってしまったと友里は考えるのです。餅は餅屋という例えが適切かわかりませんが、「己の資質に合った店選び」が客には求められるのです。

自分の土俵である居酒屋のシステムを高額店へ求めてはいけません。酒を飲まずタダの水で料理を食べたいのなら、居酒屋やカフェ、街場の定食屋で我慢すれば良いのです。背伸びをしたいならそれなりのリスク（知識習得や金額負担）をとらなければいけません。

そういう意味では、居酒屋や定食屋が主戦場の純粋無垢な人が視聴しているテレビ番組に出演して金儲けに勤しむこの自称高級店シェフも悪い。高級店と自負するなら、高級店へ行かない、いや滅多に行けない客層にＴＶを通じて近付くべきではなかったのです。

結局そのタレントシェフの店は多くの批判を受けたからか、システムがミネラルウォーター含めアルコール類まで飲み放題（しかし価格が倍増）と、特にアルコールを飲まない若いミーハー客にはハードルが高い店になってしまいました。

水代としてとられた８００円の恨みが発端となって、下戸客には７０００円以上の実質値上げになってしまったのですから、客の自爆行為とも言えるかもしれません。

平等思想が高額店を劣化させる　①一見客

飲食店は誰にでも平等ではありません。これは紛れもない事実です。キレイごとはいくらでも言えますが、このことを店主は改める必要はない、と友里は考えます。

ではまずは客扱いの差には何があるか考えてみましょう。客の立場だけではなく店主の立場になってちょっと考えてみればすぐわかることです。予約のし易さ、座る場所、店主とのトーク、他の客と違う1品、部位の違い、お土産、請求額……。

まず「予約のし易さ」。どんなに予約困難な店でも、重要な常連客用の特別シートが用意されているケースは結構あるのです。また一見客は店が設定した受付日に電話をしなければ予約できないシステムでも常連は別格。その店を訪問した日の帰り際、あるいは一般に告知されている番号とは違う電話などで予約をすることができるのです。ここには常連と一見の平等など存在しません。

「座る場所」も重要です。完璧な法則はありませんが、L字型のカウンター店の場合、短い辺の方が上席としている店が多い。また横一列の店ですと入口から遠いところ、つまり奥の端を上席としている店が多いのです。例外もありますが、どの店にも上席がありますから、常連を気取る客はそこへ座りたがる。ステイタスのようなものですね。一見は一目でそれとわかる場所にしか座れません。

そして「店主とのトーク」。客は他の客が羨ましがるような「店主との親密度」を求めますから、店主のトークも重要です。店主といえども人間ですから、リピートが多い客や単価の高い客（儲けさせてくれる人）は有り難い存在です。同じ客でも、常連と一見とでは話すモチベーションが変わるのは当然。心の開き方も異なるでしょう。

「他の客と違う1品」。コース1本の和食、皆同じだと思ってはいけません。アレルギーや食材の好き嫌いで差が出るのは当たり前ですが、すべての客に行き渡らないような食材や部位を常連にそっと出してくることがあります。例えば鯛など魚のカマを使った料理など。隣りの客と違った料理（当然レア、高級とわかるもの）を食べる優越感は自己顕示欲が強い客にはたまらない魅力です。

また「部位の差」も大事。鮨店などでは顕著にわかることですので、一度店主の手元をよく観察してみてください。魚の腹側と背側、頭側と尻尾側など、客によって使い分けているのです。腹側ばかり、頭側ばかりの魚は存在しません。背側、尻尾側はたいてい一見客（かそれに近い客）に回ってくるはずです。行き過ぎの場合、食材そのものの差をつけてくることがあります。同じカウンターに主人と２番手が立つ鮨屋でよく見かけるのですが、同じ魚種でもその魚の個体を客によって使い分けている場面に遭遇することがあります。マグロや白身でも違ったサク（魚が違う）を使うわけです。２番手の立つ付近にあるタネと、店主が立つ辺りに置いてあるタネ、まったく違う店って結構多く、店主一人の鮨屋でもあり得る差別、いや区別であります。

帰り際の「お土産」の有無もリピート客には気になるところ。毎回ではないですが、店主から店オリジナルの土産（西京漬けなど）をもらったらこれまたうれしいのが人情であります。支払額に乗っけられていたとしてもです。

ただし常連客にもデメリットが出ることがあります。それは支払額。お任せの鮨店によく見られるのですが、通えば通うほど客単価が高くなってくるのです。親しい仲に礼儀ではなく、店主の甘えが出てくるということでありましょうか…。

でも差別もとい区別、客商売なら当たり前のこと。お得意様を駆け込み客や観光客と大きな差別をするのはエルメスなど高級ブランドでもよく見られることです。一見客が店で人気商品に出くわす確率はかなり低いですが、上得意はヘタすると店から入荷の連絡が来るのではないか。資本主義である以上、公共機関でない限り客の区別はなくなりません。

この友里も、本業では客によって差をつけているのを否定しません。年間取引が数百万円の相手と数億円の客。同じような扱いをしていたら会社は維持できません。いや副業の立場でも、拙著を買ったとメールしてくるブログ読者（本当に購入したかはわかりませんけど）と、そんなことを匂わさない読者のメール、例えば店紹介依頼などを時々受けますが、対する返事の力の入れ具合が変わってしまう可能性は否定しません。

一見や滅多に来ない客、いやちょくちょく来てもお茶やミネラルウォーターだけで通して店に料理代以外のお金を落とさない客は店にとってメリットが少ないのです。店の利益にそれほど貢献していないのですから、上客扱いを受けるには店主に個人的にメリットを与えるしかないでしょう。店主を連れての食べ歩きや飲み歩き、訪問のたびに渡す手土産などなど。しかしこれもどちらかというと酒飲みの常連がやっていますから、一見に近い客は入り込む余地が少ないというか目立った効果を得にくいのではないか。

かくして地道に訪問を繰り返して、店主から認められるようにならなければならないのです。なお誤解を恐れずはっきり書くなら、下戸客はさらに難しい。どんなに通っても、酒飲みの常連に支払額では到底敵わないからです。常連になっても上顧客ではないのです。

平等思想が高額店を劣化させる　②下戸

高額店の劣化には下戸も貢献しております。下戸も「何でも平等」を主張する人が多く、酒飲みとの待遇差の解消を訴えているからです。

その待遇差とはずばりソワニエ（上顧客）扱いのこと。酒飲み、特にワイン好きは料理代だけではなく酒代が増えますから店に落とすお金は下戸とは比べものにならない。例えば1万5000円のお任せ1本の和食店。高額和食の典型例ですが、原価率を仮に30％とすると粗利益は1万円前後になります。下戸客はせいぜいこれにミネラルウォーター数百円でお会計ですが、酒飲み、特にワイン飲みの客単価はこんなものではありません。シャンパンを1本頼むとどうなるか。最低でも1本1万円超えが普通ですから、原価率（40％前後）から換算すると、料理の粗利にほぼ匹敵してしまいます。さらに白や赤のそこそこ高級なワイン（数万円）がバンバン出たら、料理の粗利なんてかすんでしまうでしょう。

店としては下戸の男性一人客が5人来るより酒飲みのカップルが1組来た方がうれしいのではないか。しかし最近は下戸の存在率が高まっているようで、友里の周りにも結構見かけることがあります。いやことグルメ評論家やライターに絞ったら、ほとんどが下戸ではないでしょうか。そんな下戸が店の利益に貢献し続ける酒飲みと同じような待遇を要求するのですから、店主だけでなく酒飲み客にも大きな迷惑なのです。

店の待遇差については後で詳細に述べますが、下戸への待遇を上げたら酒飲みへの待遇の質が落ちるのは一見客の場合と同じ。店主は一人だし、上席や食材も限定されているからです。だいたい下戸客を優遇してその比率が増えたらどうなるか。店の売上げが減少しますから、料理代を上げるか、原価率を下げるという防衛策をとらざるを得ない。下戸客を野放しにすると、酒飲み客が迷惑するという現実がおわかりいただけると思います。

店の接客などサービスは天井知らずではなく一定です。片方を優遇したら（待遇差を縮めたら）、既得権者（酒飲み）はサービス劣化を感じ取ってしまうのです。

店としては大事なお金を落としてくれる酒飲みと下戸、どちらが店にとって大事かはサルでもわかることとです。酒飲みである友里が言うので説得力はないですが、下戸の闊歩を許すと店質の劣化は避けられない事実であります。

おもしろいことに、料理人には喫煙者が多いけど下戸に近い人も結構多い。しかしそんな下戸店主も本心は、下戸より酒飲み客を優遇したいのではないでしょうか。

一見客が「良い扱い」を受ける術はあるのか

iPhoneのアプリブックでおもしろいものを購入しました。少々下品な話になり恐縮ですが、内容は「本番NGの素人系フーゾク嬢とオプション料金なしでのエッチができるようになる」ための考え方や手法の披露。何回も通うのではなく、初めての店でも最終目標に到達するにはどうするかの指南書であります。そこで最重要視していたのが**彼女らは「常連」を求めている**ということ。

これを読んで友里はすぐさまこれは飲食店にも言えることだと理解したのです。

飲食店も常連客を大事にする、待遇を良くするというのはフーゾク嬢と同じ。つまり、一見客で少しでも良い扱いを受けようとするなら、店主に

常連になりそうだ

と思わせることが一番なのです。いや、これしか方法はないでしょう。

ではそう思わせるにはどうしたら良いのか。まずは自分が「外食好き」であると見せかけること。高額店に行き慣れているという雰囲気を出さなければなりません。

高額店でオドオドするのはもってのほか。場数を踏んでいないことがバレてしまいます。高額店経験の少ない客が、自分の店に再訪を繰り返すはずがないと思うのは当たり前ですから、この症状を出したらまずアウト。上客に近い扱いはあり得ません。

服装も大事です。オタクを即連想させるバックパックやチェック柄のネルシャツ、ノーブランドのGパン、スニーカーも御法度です。高額鮨店で特に見かける客層でありますが、店主にとってオタクは面倒な存在です。繁殖してしまうと店の雰囲気が悪くなりますから、他のまともな客が寄りつかなくなってしまいます。どうでも良い蘊蓄やこだわりの話を漏れ聞かされるのもありがた迷惑です。

再訪を繰り返すには何といっても資金力が重要ですから、初訪問の店には裕福に見えそ

うな服装で出かけたい。間違ってもオタクや貧相なイメージを店主に与えてはいけません。

しかしリピーターになり得る雰囲気を与えるといっても、ＩＴ成り金のように「高額ブランド品を持っている」「どこそこの有名店へよく行っている」「海外の高級リゾートへ行っている」などといった下品な自慢を初訪問からしてしまってはいけません。

そこらの下品なセレブや成り金ではなく、上品で謙虚に振る舞うほうが店主にウケる可能性が高い。なぜかというとこれらの高額店主は毎日そんな**下品な〝似非〟セレブや成り金客を見慣れている**からであります。これ以上店の雰囲気を壊したくない、同じ常連客なら下品ではなく上品な客が増えてほしいと思うのは人情であります。

何事もさらりと漏れ知らせるテクニックが必要です。

勘違い常連客の〝店破壊〟

ここまで〝平等主義〟に毒された一見客や下戸客による弊害を述べてまいりましたが、飲食店をスポイルするのは常連客も同様です。いや、常連はスレている分なおさらタチが

悪い場合もあるのではないでしょうか。よく

店は（常連）客に育てられる

と言われますが、不良に育て上げるのも親（客）次第なのです。ここではその常連客の問題についても述べてみたいと思います。

まずは店主への甘やかし。「はじめに」でもちょっと触れましたが、弟子でもないのに（客ですよ）店主に向かって「大将」と呼ぶ風習。いくら一国一城の主だからといって、なぜこんな呼び方を客がするのか友里は不思議でならないのです。自分がこう呼ばれたら「かえってバカにされている」と思うのですが、飲食業界は別次元なのでしょうか。

また旅行帰りの手土産だけではなく、高額店や高額クラブへの接待も度が過ぎると店主の勘違い度が増幅されます。確かに料理人は同業だけではなく他ジャンルの料理も食べて経験を積むことは重要だと思いますが、すべてがゴチ、つまり己の負担なしでの経験で果たして実となり花となるものなのか。

これは店主の場合ではないですが知り合いから聞いた話。このゴチ体質は料理人だけではなくメートルやソムリエにまで蔓延しているというのです。彼らと食事した人の話では

たとえ目下の女性客との2人飯であっても割り勘さえ嫌がる

のだとか。サービスマンでもこれですから、ちょっと有名な料理人ならどれだけの甘やかしを受けているか想像できるというものです。

またセンセイなる者の名刺渡しも問題か。正確には渡すことによって自分は政治屋だ、弁護士だ、医師だと店主に認知させて一目置かせようとする行動であります。値踏みのため店側が客の仕事を探ろうとするのは一つの営業努力でありますが、この手のセンセイは自ら進んで開示してくれるのですから楽でありますね。友里も知人にこの手の職種がいましたからこの光景はよく確認しております。一般に年収や地位が高いとされている人が自ら進んで名刺を差し出すのですから、店主も悪い気がしないというか、ある意味舞い上がってしまうのは想像するに難くない。

また一見客ばかりの店も問題ですが、一見客排他かのように常連だけが大きな顔してのさばっている店も自浄作用が働かないから劣化を辿るのみ。1店だけにしがみつく常連客は特に質が悪いとは考えます。

友里も経験したのですが、この手の常連客は、自分の行きつけの店をちょっと批判（シビアに評価）されただけで、

己の人格を否定されたと勘違いして猛反発

してくるケースが多いのです。友里もある時期、ストーカーのようにつきまとわれたことがありましたが、このような偏った常連気取りが店への真摯な評価を妨げ店主の増長を促進し、ひいては店劣化の大きな役割を担っていると断言しても過言ではありません。

「良い客」と「悪い客」の境界線はどこだ

飲食店にとっての「良い客」と、同じ店内で食事している客にとっての「良い客」は必ずしも一致しておりません。

店の雰囲気を下品化させたくない心理はあるでしょうが、店主にとって一番大事なのは店の経営。

お客さんに喜んでいただきたい

とキレイごとを言っていても、そのために損して借金が膨れ上がることを望むはずがありません。まずは利益ありき、であります。

よって「お金をたくさん落としてくれる客」が店にとって良い客。しかもしょっちゅう再訪してくれる、店にとって良い客を連れてきてくれる紹介してくれるという客はさらに有り難いはず。そこに〝上品さ〟が加わると、「最良の客」となるのではないでしょうか。

しかし同じ店内にいる客にとっては、下品な客やうるさい客、蘊蓄などでウザイ客は悪い客になってしまいます。香水の香りをばらまく女性も、客にとって迷惑なだけ。でも「香水は体臭と同じで区別できない」という店もあるくらいですから、客に対する店と一般客の見方、利害は必ずしも一致しないのです。店にとっては、うるさい、下品、香水臭い、そんな客でも利益に貢献してくれればそれなりに良い客であるからです。

しかし悪い客については、店と客側で一致することもあります。

例えば店主への振る舞い酒の半ば強要。店主に無理に（年寄りで遠慮しているのに）自分の頼んだ（持ち込んだ）日本酒やワインを飲ませる行為です。最近でもたまに見かける光景でして、鮨店や和食のカウンターで、しかも「センセイ」と呼ばれる職業の客やＴＶコメンテーターや評論家に多いようです。

「ワインの持ち込みの際には、店のソムリエたち（ワイン好きならシェフにも）に１杯は振る舞うべき」と主張する友里でありますが、特に老齢な店主に酒を無理に勧めることはやってはいけない行為です。持ち込んだワインと違って店売りの日本酒、店主が客に勧められて飲んでも店の売上げは多少増えますが、銀座の女性ではないのですからそれは本業ではない。そもそも自分の店の酒なんてわざわざ飲みたいと思う店主がいるのでしょうか。他の客にも迷惑です。店主が酔っ払ってしまったら、パフォーマンスが落ちます。その後の料理のクオリティが落ちるのは必定です。無理に酒を振る舞う客は、店主だけではなく周りの客からも疎んじられているという実態を自覚するべきなのです。

本当の意味での良い客とは、飲食店側にだけではなく、同じ時間と空間を共有する、周りの客にとっても良い客でなければならないのです。

友里が考える良い客と悪い客の境界線は、そこにあります。

セミプロレビュアーたち、人としての誇りはないのか

2章の冒頭で掲載した音源についてここでちょっと補足しておきます。

以前から食べログのレビューを見るたびに、1000、2000と膨大なレビュー数を誇るレビュアーの存在が疑問でありました。

ほとんど毎日外食の友里でもその数は1年で300超えがやっと。訪問するだけではなく、しっかりレビューも書かなければなりませんから、彼らはいつ本業をしているのか不

思議だったのであります。そんな友里がこの音源を聞いて、まさに目から鱗。

奴らはセミプロだったのか。

1レビュー書く毎にステマ会社からペイバックがあるだけではなく、Tポイントやマイレージがもらえるのですから、1粒で2倍おいしい稼業ではないか。

しかも実際に店で食べていないケースもあるというのですから驚きです。

彼らは食べログの前に一世を風靡した口コミサイト（アスクユー・レストランガイド）からの移転組が主体のはず。

あのジバラン軍団も昔はアマチュアの集まりでしたが、元電通マンの主宰者はじめ取り巻きがこの業界へ移ってきて掌返しして店側ヨイショに転向したのは有名な話。

ステマに荷担して金稼ぎしている食べログのセミプロレビュアーは、人としての矜持を持ち合わせていないと断言させていただきます。

キレイごと抜きのワイン選び

ボトルは何を頼めば良いんだ

シャンパンですが、店で用意しているような若いもの（ここ20年以内）は、たとえ高いワインでも味わいの差が出にくいですから、ノンヴィンの安めのもので十分だと思います。その余剰資金を白か赤に回した方が賢明であります。

それでは白はどうするか。ボルドーやアルザス、ロワールなども有名ですが、癖が結構ありますから、グラスではなくボトルで飲むならもの好きかマニアでないと難しい。そこへいくと、シャルドネ種を使ったブルゴーニュ白は万人ウケし無難です。ちょっとこだわりの造り手を勉強していたら、一目置かれるかもしれませんし。この〝ブル白〟ですが、そこそこの店で頼むなら「ブルゴーニュ」という地方名ワインは避けたい。せめて１万円前後の村名ワインにするべき。１万円台半ばまでで用意されているなら１級畑ワインにしたいところです。ヴィンテージに限らず、特級畑は２万円を超える店が多い。レストランにある白も古酒は少ないので、若いのに高いワインを頼まず、余力は赤に回しましょう。

最後に赤は何が良いか。予算を気にし見栄を気にしない場合は、値付けが比較的安いボルドーが無難。マルゴーやムートンのように有名な１級ワインを避け２級以下にすれば、よほどのボッタクリ店でない限り、数万円で収まるはずです。メイン食材が牛である場合などはこれで十分だと思うのですが、見栄を張りたい場合は手っ取り早く〝ブル赤〟にしてください。白と同じく地方ワインを高級店で飲むのはＮＧですが、村名レベルも避けたい。最悪でも１級畑とするため、予算が気になるなら泡や白はグラスで我慢しましょう。

１級畑で２万は超えるでしょうが、ここで選ぶのが、同じブルゴーニュでもロマコンなど有名ワインが多いニュイ地区ではなくボーヌ地区。ポマール村やヴォルネイ村の１級畑なら（ボーヌで赤の特級畑は１つしかなく１級で十分）、ニュイの１級より数割安く、しっかりした味わいのものが多い。クラシックな料理にも良く合います。

第6章　グルメ界をぶち壊す〝関西業界〟

〝関西気質〟にグルメ堕落の本質を見た！

ちゃきちゃきの江戸っ子や関東人による関西批判でありません。両親は大阪生まれの大阪育ちという立派な大阪人。〝里帰り出産〟でこの世に出たのも大阪が最初。東京で育ったとはいえ、戸籍も大阪でその両親のＤＮＡを受け継いでいる友里が語る関西人批判、誰よりも説得力があると自負しております。

第４章で料理人たちが認めているように、ほとんどのジャンルは東京と比べて質が落ちる関西ですが、和食の総本山とも一般的に思われている京都を擁する驕りのためか、はたまたコンプレックスの裏腹からそれを認めないのかわかりませんが、東京人から見るとまったく異質に見える関西グルメ界。飲食店とその客の双方共に〝強烈な個性〟を持ちますが、そこに「グルメ界を堕落させる理由」が潜むと友里は考えるのです。

この章では、この特異な〝関西気質〟の存在を許している限り足を引っ張られ、ひいては東京はじめ日本グルメ界の真の成長はないとの判断からの、関西への問題提起＆批判を展開します。関西在住の方、関西出身の方にとって不愉快になる部分もあるでしょうが思い当たる節も多いのではないか。日本グルメ界のためにしばしお付き合いください。

関西人は実は〝濃い味〟がお好き

巷でよく言われている「関西は薄味、関東は濃い味」という通説ですが、オーバーかもしれませんが友里は命を賭けてでもこの間違いを訂正したいと思います。確かに関西は薄口醤油を使用しますからお椀の吸い地や炊き合わせなどの出汁の色は透明に近く薄い。でも実際の味わいはどうでしょうか。薄口醤油の方が塩分は強いとも言われておりますし、料理の味付けの濃い薄いは出汁の色だけで決まるものではありません。

世間では〝食の神様〟のごとく言われている京都生まれの北大路魯山人、ウィキペディアでは〝美食家〟との肩書きもありますが、本当に味がわかる人物だったのか。

彼の大好物で有名なのが「海鼠子《このこ》」です。一説にはいっぺんに3桶もぺろりと食べたと言われておりますが、友里に言わせると「ただの濃い味好き」ではないか。塩と旨味が強い海鼠子は、酒のツマミに一口二口食するものではないでしょうか。口いっぱいに頬張ってしまっては舌の味蕾細胞が麻痺してしまうと思います。何を伝えたいかと言いますと

魯山人を代表する京都人、いや関西人の実態は濃い味好き。

現在食べログで京都の和食店として断トツ1位は円山公園近辺の一軒家風和食店。ここの主人は嵐山にある料亭の元料理長で、この店のルーツは神戸生まれとはいえ大阪で旗揚げした故人が生み出した創作和食店で、実態は京料理ではありません。お椀の吸い地はかなりインパクトがありますし、和食で言うところの引き算ではなくフレンチに近い〝足し算〟調理が主体。旨味のある調味料や食材を重ね合わせるのを得意としているのです。

その他の食べログランキング上位店を見ても、近江の料亭系や新興料亭系が多いですから、京都では薄味の店が好まれているわけではないのです。

では大阪はどうかと言いますと、昨年訪問したミシュラン3つ星和食店。店主は大阪割烹では有名な老舗の出身でありまして、その修業元へは昼の訪問だけですが、あまりの味醂投入量の多さに驚いたのです。そしてその弟子によるこの3つ星店の味の濃さ（よく言えば「うま味」の盛り込み）にも驚きました。造りのマグロに卵黄、アオリイカには鯛の子醤油、海老芋には濃すぎに感じる蕗味噌、焼き物のサワラも中に唐墨がはさまっており、メインの蝦夷鹿（和食では珍しい）にはネギ酒盗、そして〆の白飯には鯛味噌、と、ほとんどの料理に旨味の濃い食材（調味料）が必ず添えてあるのが特徴であったのです。

続いて神戸はどうかといいますと、近江系の3つ星店も「味が濃くはない」とは言えないレベル。東京の3つ星店でも友里が濃い味と思うところは結構ありますが、ここまで「濃い」と感じることはなかった。まさに関西は濃い味店が大手を振るっていると言っても過言ではないのです。

問題はそんな大味（濃い味）が関西ではウケているというのに、当の関西人に〝濃い味好き〟との自覚がないということ。関西在住でない方で、もし関西在住の知人がいましたら確認してみてください。友里の経験上、「関西人は濃い味好きじゃないか」と問うと、過半の人が自覚がないどころか、濃い味好きと言われることを極端に嫌うのであります。人の嗜好はそれぞれです。そこで友里はこの場を借りて関西人にアドヴァイスしたい。

濃い味好きは決して恥ずかしいことではない

世に「薄味好き→ハイレベル、濃い味好き→低レベル」という判断基準はありません。

関西人の異常習性①　ワインの持ち込みに命を賭ける

東京店はクローズしましたが名古屋では未だ営業を続けている大箱イタリアン。フィレンツェの3つ星イタリアンの単なる提携店ですが、オープン以来集客が芳しくありません。友里も訪問したことがあるのですが、70席とかなりの大箱なのにその夜の客は我々以外にわずか1組と寂しい限り。そんな現状を当時いたソムリエールが説明してくれたのでありますす。なぜ客が入らないのか、それは

ワインの持ち込みを許さなかったから。

名古屋では、ワインの持ち込みがオッケーであることが高額店訪問の「第一条件」になるのだそうです。ワインを持ち込めない店へは行かないのだと。その名古屋人気質を知っていただけに店の上層部へ具申したものの却下されての惨状を、当時のソムリエールは嘆いていたのであります。ただしさすが名古屋人と言いますか、「軒を貸して母屋を取られる」との例えが正解かわかりませんが、名古屋人に一度持ち込みをオッケーしたら、

ワインショップから直送でケースごと（12本ですね）送り込まれることも希ではない

とのこと。名古屋人はレストランをワインセラーと考えているのでしょうか。いくら飲み代を節約できるからといって、訪問のたびに同じ酒を飲み続けても飽きない名古屋人のセンスに脱帽であります。東西を問わずワインの値付けがべらぼうに高い店は相変わらず存在しております。なるべく飲み代を安く上げたいと考える気持ちは理解できますが、医療

関係者など名古屋でセレブとして通っている外食好きが、飲むワインをすべて持ち込んで出費を抑えたいと考えるのはいかがなものか。

そしてこのワイン持ち込み気質は名古屋人独特の習性ではなかったのです。

関西特に大阪では、外食好きの人たちが、飲むワインすべてを持ち込もうと試みていると知ったのは、6年ほど前のことでありました。例えば10人で予約したとして、その会に参加する条件は「1人1本、ワインを持ち込んでの割り勘」。その条件はフレンチやイタリアンだけではなく、和食から鮨、焼肉から韓国料理にまで適用されてしまうのです。

東京で食べ歩きを続けている友里、確かにワインを持ち込むこともありますし、〝ワイン会〟と称するものを定期的に企画していた時期もありました。でも商売ではなく有志の集まりでしたから、1店の例外（客単価が3万円以上）を除いて、必ず店で何本かワインを頼む〝東京スタンダード〟を徹底していました。しかも東京人の見栄でしょうか、持ち込むのは店では置いていないようなレア、高価なワインに限定するのが一般的でありました。間違っても「酒代を節約したい」というイメージをむき出しにする東京人はいなかった。

レストランは料理だけで経営を維持するのは厳しいのです。いずれの店も、仕入価格の倍はとっているとわかるビールだけではなく、日本酒やワインでもそれなりの利益率を確保して安定した経営を目指しているわけです。それなのに〝持ち込み代〟として1本数千円をとるとはいえ（タダにさせられる場合もある）、ビールも水も頼まず持ち込みワインだけで料理を食べ逃げされたらどうなるか。

「料理だけでしっかり儲けよう」そう考える店しか残らなくなるではありませんか。原価率や調理レベルを抑える、逆に付加価値をさらに上げようと考えるはずです。

この名古屋および関西人気質（飲む酒は全部持ち込みたい）が、和食以外のジャンル（フレンチやイタリアンなど）で、東京に比べ関西の店の食後感が皆悪いという現状の、大きな要因にもなっているのではないかと友里は考えるのです。

友里がことある毎に主張しているワイン持ち込みの条件、それは

ヴィンテージなど記念もの

店にないようなレアもの、もしくは高額なもの

持ち込み本数は控えめに

ソムリエにも振る舞う（簡単に手に入るワインはソムリエが喜ばないので持ち込まない）

東京ではスタンダードのこれら、店と客の双方が共存共栄できるルールであると思います。

「客が来なくなるから仕方なく持ち込みを許可する」、この関係では、店、客とも長い目

で見たら得にはなりません。

関西人の異常習性②　同じ店に大勢で群れる

東京でも希に10名ほどの団体で店を予約するケースがありますが、キャパが小さい店でもそうそう貸し切りの予約を受ける店は少ないのではないでしょうか。しかし関西では少人数のカウンター店（和食に限らない）でも、いとも簡単に借り切りにしてしまうのです。

東京人が考えるに、食事は同伴者との会話も飲食店訪問の大切なエッセンス。10人近くいたら、まったく話さないで終わってしまう同行者も多いのではないでしょうか。

コース1本の店ならまだ理解できますが、アラカルト対応の店でも借り切って、わざわざお任せコースに限定してアラカルトの良さを抹殺してしまう関西人の習性は疑問です。アラカルトで対応しているフレンチやイタリアンでも、よく「何人以上の場合はコースになります」と限定する店があります。多人数では同時に別々の料理が提供できないからでして、大箱であるグランメゾンでもその制限が適用されることがあります。

しかし本来食通や外食好きは、人によっての好みの違いを理解していますから、それぞれ好きな食材や調理を、その日の気分で選びたいもの。レストランの実力はアラカルトに現れると言っても過言ではないのです。

ですからわざわざアラカルト（飲食店の真骨頂）を封印しての関西人の団体借り切り、何が悲しくてコース一本を食べたがるのか、友里は関西人の嗜好がまったく理解できない。大勢で大きな声を出して話し合いたいなら居酒屋へ行けばよい。しかし料理にこだわるなら、最高のパフォーマンスで、自分の好きな料理を食べたいと思うはずです。

友里が推測するに、関西の外食好きの多くは店に対して自信がなく臆してしまうのではないか。経験不足を

みんなで食べれば怖くない

の集団心理で乗り切っているのではないかと推測します。

またもう1つの理由が店主に対する「ええかっこしい」。

この手の団体行動には必ず主催者が存在しますが、彼らは店主に「大勢連れてきたぜ」と見栄を張りたがるのです。良い客だと思われて良い待遇をしてもらいたいのでしょうか。

ですからいろいろな店を開拓するということをしません。まずは良い顔になるのが第一の目的ですから、行く店は偏るのです。関西ではしょうもない料理を出す店でも予約困難

な店がありますが、それはこの関西人の見栄によるものなのです。

でも同じ見栄でもここが東京人と大きな違い。

東京人は良い客を紹介することはありますが、十把一絡げで経験不足の仲間やソワニエにならないような知り合いを連れて行ってまで見栄を張ろうとは思いません。逆に東京人は関西人とまったく違った見栄を張る方法を選択しています。それは**高い酒のオーダー（主にワインを頼んで客単価を上げる）**。

しかし関西人は高額店であっても支払いにシビアですからこのようなことをしないのではないか。いやしたくても前述したように「飲むワインを全部持ち込むからできない」。

東京人との決定的な違いであります。

関西人の異常習性③　本場や本物なんぞどうでもいい

関西の店訪問で友里が一番衝撃を受けたのが江戸前を標榜する鮨のジャンル。なんと修業歴ゼロ（江戸前鮨店だけではなく飲食店そのものの修業歴ゼロ）という店主の店があって、しかもそれが結構な人気であるということに驚いたのです。

東京にも鮨店修業ゼロのミシュラン星付き店主はいますが、和食の修業はしていたはずです。関西では単なる鮨好きなだけのド素人が即プロとして認められるのだと、関西人の心の優しさに感心しました。

そんな関西在住の鮨好きに、本場・東京でまともな江戸前鮨の経験がある人が多いとは思えません。でなければ、週末の土日だけ、銀座から夫婦でタネを持参して出稼ぎに行っていた鮨店が話題になるはずがない。真の江戸前鮨通なら、「東京でうまくいかなかったからと関西で商売するのか、バカにするな」と怒髪天を衝く蛮行であるからです。

本物を知らないのは江戸前鮨だけではありません。フレンチもたいしたことないですが、イタリアンのほとんどが「なんちゃって」ではないでしょうか。

かなり前から「郷土色を出さないと生き残れない」と提唱してきた友里の影響ではないでしょうが、関西でも目立ってきた郷土色をうたったイタリアン。でも友里言わせるとみんな似非なのであります。その理由は簡単。この天下の東京でも

本物に近い郷土色を出したイタリアンは少ない

からです。よりマイナーなスペイン料理は言わずもがなです。東京でも珍しいのに関西に本物に近い料理があるはずがないではないですか。

関西の自称食通や外食好きに聞いてみればわかるのですが、どのくらいの人が、フランスやイタリア、スペインの地方へ頻繁に行った経験があるのか。東京とは比べものにならないでしょう。そして海外修業歴ゼロ（特にイタリアンで）の店主が大手を振るっているのも関西の特徴なのです。

本物を知らない料理人が本物を知らない客に〝なんちゃって郷土料理〟（本来フレンチもイタリアンもスパニッシュもみな郷土料理です）を出している関西グルメ界。

和食においてもそれは同様。京都でさえ本来の郷土料理である京料理ではなく〝創作和食店が大きな顔をしているのが現状です。

もはや食に関して関西に学ぶものは、絶滅しかけている真の京料理を除いては皆無に近いのではないでしょうか。それでも毎晩群れなして店借り切りに勤しんでいる関西人。東京人とはまったく異質なグルメ人たちであります。

関西人の異常習性④　量さえあればあとはＯＫ

第４章で店主たちが関西人の思考や嗜好について述べています。彼ら関西人が重要視す

るのは、味ではなく

値段とサービスのノリ

ということを裏付ける現象を友里は大阪で経験したのです。

高額店ではないですが、カレー好きの友里は、大阪でのランチでよくカレー専門店へ行きます。雑誌のカレー特集記事などで人気店を探し出しているのですが、ほとんどの店の盛り付けが、なみなみとよそったご飯にカレーのルゥを皿から溢れんばかりにてんこ盛りしてくるのです。写真を示せれば良いのですが、見た目は非常に汚い。でも味や外観にこだわらない大阪人は、「量が多くてラッキー」と喜ぶのでありましょう。居酒屋などで、升から受け皿にこぼれるほど日本酒を注がれて喜んでいる客と同じ心理です。

味より見た目よりとにかく量。量が普通なら安いことを優先するのが関西人の特徴です。

関西店主の悪行①　性悪店主の店がなぜ流行るか

友里がネタになる店探しのツールに使っている食べログ。点数はそもそも参考にしておりませんが、その食べログを見て我が目を疑ったのが大阪のある料理店の過大評価でした。

食べログやHPではまったく触れられていませんが、ここの店主、今はなき大阪の料亭系の性悪取締役だったのです。

まだ記憶に新しいと思いますが、6〜7年前に端を発した消費期限もしくは賞味期限の偽装問題。世間では会見からささやき女将や腹話術の人形だと揶揄された長男に注目が集まりましたが、本当の性悪はこの次男ではなかったか。己がパート女性に偽装を指示したにもかかわらず、インタビューでは「パート女性たちが勝手にやった」（要約）と自らの関与を否定したというお方。ウィキペディアによると、「全責任はパート女性にある」とする会社作成の事故報告書に署名・押印を求め、パート女性が拒否すると「それは言い訳や」と怒鳴った上、翌日も期限切れ商品を販売した理由を紙に書くよう迫ったとか。

このような人物が、店が破綻してからわずか3年あまりで北新地に自分の苗字を冠した店を出してしまいました。しかも何を考えているのか大阪人、通い詰める客がいたどころか盛況にしてしまい、あっという間に支店まで出させてしまったのです。

この店主、会見で泥をかぶった長男と違って厨房には立っていなかったはず。つまり北新地のこの盛況店は、雇われ板長が料理を指揮しているのです。

人間性も料理人としての腕も疑わしいこの人物が、罪に問われるどころか大繁盛で支店まで出すほど大儲けしているという大阪グルメ界。人間は年齢を重ねてからはそうそう性格が激変するはずがありません。ましてや性悪な場合は推して知るべしです。

「なぜ性悪店主の店が流行っているか」との友里の問いかけに対し、大阪在住の読者からの回答は「客の自尊心をくすぐるなど客あしらいがうまいから」とのこと。

大阪人は、料理の味や食材の質をどうこう言う前に「店でいかに大事に扱ってもらえるか」、「上客然と振る舞えるか」を優先する見栄っ張りがほとんどのようです。

反省の弁もなく復活した性悪店主、そして繁盛させてしまった大阪人客に対して

日本人の面汚し

と友里は声を大にして訴えます。

関西店主の悪行② あっという間の撤退を恥と思わない

海外進出（支店を出店）時は威勢が良いのですが、相手にされず逃げ帰ってきた時はダンマリを決め込む関西の３つ星和食の店主たちがおります。

それでは京都を代表する３つ星和食店の海外出店惨敗とそのことを開示しないヘンな店

主たちについて述べていきましょう。

あれは２０１２年春、初めてシンガポール出張した時のことでした。料理店訪問の一番の目的は京都の３つ星店の代表者の名前を冠した和食店でありました。京都の店とは直接関係ない店主個人によるシンガポール出店。名前貸しの「ロイヤリティ商売」と聞いておりましたが、どんな料理をどんな値付けで出しているのかチェックしたかったのです。

ところが事前に予約をしようとカード会社に依頼したところ、「内装工事で夏まで閉店している」との連絡がありビックリしました。オープンして2年も経たずの内装工事、普通に考えたら集客不振のためのテコ入れとしか思えなかったのです。よって事実上の閉店か、テコ入れのための内装工事による休業なのか、その検証を昼食の合間に行いました。

その店のエントランスと思われるところに近付きましたら、何やら貼紙のようなものがあるではないですか。確かに「renovation」で12年半ばまでクローズするとありますが、ドアはぴったり閉まっておりまして工事をしている様子はありません。そこでネットで検索しましたところ、一般のブログや店主のブログでは、前年までの営業は確認できるのですが、その後の状況は友里の検索力では確認ができなかった。なぜ、夏まで内装工事をダラダラと半年以上もしなければならないのか。なぜオープン２年も経たず内装工事をしなければならない状況に陥ってしまったのか。

内装工事に何か月もかけること自体が不自然と考えるのが自然な推理。そこで調べましたところ当初は「原発事故の影響（放射能汚染の恐れ）で、日本から食材を輸入できなくなって閉店していた」との噂に行き着いたのです。大胆に推測するに、その後いつの間にか「内装工事で閉店続行」としてしまったのでありましょうか。

隣のスペースにもテナントが入っていないように見えましたが、経済活況と言われているシンガポールでの自称内装工事による不思議な長期間の休業。

現在でもシンガポール店は閉店したとの開示がないですから内装工事を続行中だとしたら、「内装工事期間世界一とギネス申請」を友里はアドヴァイスさせていただきたい。

しかし人間、何事も正直が一番。あっさり「思惑が外れて店仕舞いした」と言えばすっきりするものを、この関西店主の心中が友里には理解できません。

またその問題に一切触れない関西客、寛容と言ってしまえばそれまでですが、その見て見ぬフリするという甘やかしが料理人を勘違いさせると、悟っていただきたいものです。

さて次なる厚顔店主の海外逃げ帰り劇はロンドンでありました。ここも同じく京都の3

つ星和食関係であります。

あれは2012年の9月だったでしょうか。これまた3つ星店主個人として、アラブ首長国連邦（UAE）のファンド会社と提携してロンドンにオープンした和食店が話題になりました。日本ではある新聞記者が熱くその意義を語っていたのですが、わずか半年で閉店とは思いもよらなかったことでありましょう。

ロンドンには多くの日本人（日本人ソサエティが濃い関係だそうです）が在住し、最近は外食店の質が向上しているといっても食に関しては後進だったイギリス・ロンドン。かく言う友里も、ある程度成功するだろうと予想していただけに、その閉店に驚いたのです。

店主は、「世界のあらゆる料理のなかで最も優れているのが和食。中途半端な日本食と違う、本格的な和食を世界に広めたい」と言っていたはずです。

しかしこのファンド会社、2012年末に、この和食店の近くに中華料理店をオープン。ネットで検索したところ、その中華店は大盛況だったというニュースも発見してしまった。

結局ロンドンの人には、和食より中華料理の方がウケたのでありましょうか。ファンド会社は、このチャイニーズの成功に気を良くして和食店への関与をやめてしまった。これがわずか6か月での閉店劇の真相ではないかと友里は疑っています。

前述のわずか1年で閉店状態に突入したシンガポール和食の記録を上回るロンドン速攻撤退。この店主、夜逃げだけならまだかわいいのですが、逃げ帰ってきた当月に、厚顔無恥にも恵比寿の3つ星フレンチでバカ騒ぎしているのです。タニマチの奢りですからなおさら驚きでありました。

関西人が彼らに面と向かって「なぜ逃げ帰りを公にしないのか」と問わない不思議。いや今後も海外での出店でひと儲けを狙う店主たちへの警鐘として「なぜ逃げ帰りとなったのか」と自己批判を要求しないのか。こんなぬるま湯状態だから、フレンチ、イタリアン、スパニッシュ、鮨ではいつまで経っても東京の足下に及ばず、肝心要の京料理までも劣化が進んでしまっているのだと友里は考えるのです。

〝食の総本山〟京都の実態

京都の「いけず」は京都人の特徴というか性格の悪さを示す代表的なフレーズです。他県から嫁いで30年になるのに、未だによそ者扱いだという話も聞きました。ぶぶ漬けの話も有名ですね。家に上がって食べてくれと勧められてその通りにしたら、影で「あいつは本当に食べやがった。なんと厚かましい奴なんだ」と言われるという京都伝説であります。バブルの時でありましたが、友里の本業の取引銀行支店長から、京都赴任時には「挨拶で訪問した先で、勧められても決して上がってお茶を飲んではいけない」など注意することがたくさんあったとの話を聞いたことがあります。京都人は原則、自分の家に他人を入れたくない気質を持っているようです。その延長が、他県から来た者を永遠によそ者扱いするという習性です。

しかし現在の人が溢れている京都市内を見てください。予約が困難な京料理店を見てください。ほとんどが他県からの〝よそ者〟ではありませんか。

例えば京都の人気和食店。夜はカウンターに横一列に客を並べ、ブロイラーのように一斉スタートで料理を次々と提供するスタイルをとっていることでも有名です。原則客はスタート時刻に遅れることができません。そのようなスタイルをとる理由を聞いて、友里は椅子から転げ落ちそうになったのであります。

一斉スタートで次々と客の口にエサ、もとい、料理を入れて2時間あまり、20時過ぎにはそのブロイラー劇場が終演となるのですが、多くの客はそれからいそいそとタクシーなどを使って京都駅に向かうのだそうです。そうなんです、一斉スタートの目的は、手間を省きたい、早く店仕舞いしたい、という理由に加えて、客が新幹線の最終便に間に合うようにとの配慮もあるというのです。それだけ東京など他県からの客が多い、他県の外貨で稼いでいるという証左であると考えます。

つまり京都人（でもこの店主は京都出身ではないはず）のイケズでありますが、その排他している他県人で生業を立てていると言い切っても過言ではない。友里はなぜその性格を直さないのか不思議なのであります。

冬は寒く夏は暑い盆地。この厳しい環境で先祖から暮らしてきたので性格が根本からねじ曲がってしまったのかもしれません。かく言う友里も、若いときに京都女性と付き合っていてこの性格に馴染めず、関係が破綻したことを思い出しました。その時に聞いたのですが、京都の地の人たち（特に若者）は口では京都のイケズなどその性格を嫌っているということ。「自分は違う」と力説しているのです。でも他県人から見ると最終的には変わらないんですね。ただし若い時から京都の古いしきたりに反発を抱いているのは事実。そして京都の伝統的なものを否定したい気持ちの矛先が向かう一つが料理店なのです。

石を投げれば若手和食料理人に当たる京都飲食業界でありますが、彼らだけではなく老舗や高額料亭に至るまで伝統的な色をなくす努力をしているのではないか。

いわゆる〝創作和食〞というものでして、ミシュランの３つ星から無星まで、そのほとんどが奇を衒った料理に奔っていると友里の経験から断言させていただきます。京都人は己の内面（性格の悪さ）を認めたくないので、外の「新しいもの」、いや奇妙奇天烈なものを求めてしまっているのです。還暦超えた３つ星店主までが、盛り付けの奇抜さ、奇抜な食材の取り合わせ、西洋料理と見紛う調味料や調理法にチャレンジしているのが京都和食界の現実であります。それを求める京都人が多いからであり、京都神話に釣られた他県人もそれが京料理と勘違いして追随しているのです。

東京の店を見てみてください。３つ星や老舗の店でも、観光客（外人含め）の割合が多くなった店は必ずと言って良いほど劣化が進んでおります。常連や地の食通以外の客を主体にすることは避けなければならないのですが、京都の飲食店は、自己否定する京都人に合わせて店が変な方向（創作）へ向かい、次から次へと押し寄せてくる、お金を運んでくれる観光客に晒されているのですから、劣化が激しいのは当たり前なのです。

ある料亭（老舗ではなく3代目なのでどちらかというと新興）は、ネットを介して観光客など一般客に予約を開放するという斬新な試みにチャレンジしました。一時は盛況になったようですが、料理長の若返りという目論見違いも後押しして、多くの常連から見放されてしまいました。そうなるとさらに一見や観光客に頼らなければなりません。負の連鎖で坂道を転げ落ちていっているのは地元では有名な話であります。

和食は京料理が一番という伝説がまかり通っております。確かに中には素晴らしい京料理を出す店も残っておりますが、ほとんどが伝統に反発する地元民や観光客相手になってしまっているのです。地の利で京都の食材を多く散りばめてはおりますが、有名店や人気店の多くは、東京で京料理を名乗る店と調理レベルは大差ない。いや東京の店より創作度が進んでいて本来郷土料理である京料理の体をなしていないのではないか。

友里が真の京料理だと評価している店があるのですが、地元民の評価は高いとは言えない。その理由の多くが

料理人やその料理に華がない

と聞きましたから、京都人、いや関西人は中身より「見せかけ」、客あしらいだけを優先していることがわかるのです。

肝心要の京料理でもこの体たらくでありますから、他のジャンルのフレンチやイタリアンなどにまともな店はゼロに近いと断言しても間違いはないと友里は考えます。

関西飲食業界に未来はあるのか

本章では、関西店と関西客の「ここが変だよ」という習性を書き連ねてまいりました。そろそろ〆に向かうことにいたします。

関西の外食好きの一番の問題は、「料理店に料理そのものを求めていない」ということ。盛り付けの量、店での待遇、酒類の持ち込み、借り切りのし易さ、などを肝心の料理より優先してしまう関西人の性行、その期待に応えるため店も料理を第一に考えなくなっているのです。これではまともな店は増えるどころか絶滅に向かうのは当然ではありませんか。

料理店としては本末転倒とも言えるこの現実を打開するには、関西に東京スタンダードを持ち込むしかない。客と店との馴れ合い（じゃれ合い）を極力抑えなければならないのですが、当の関西人はそれを望んでいません。よって関西グルメ界の未来は限りなく暗いと友里は断言させていただきます。関西人のフリみて我が身を直せ。関西、特に京都至上主義を捨てて、いや関西を見捨てることが、東京はじめ他県のグルメ界の発展に繋がると友里は考えます。

イタリアワインと食後酒はどうすれば良いか

フランスワインはわかっていても、イタリアワインはわからないというワイン通は多いと思います。プロのソムリエでも両方に精通している人はほとんどいないのではないか。かくいう友里も、イタリアワインは局所的（ピエモンテやトスカーナ）にしか詳しくないのですが、店側に見下されない程度の選び方を書いてみます。

まず泡のワインがプロセッコというものだったら、飲まない方が良いでしょう。例外はあるけれど甘くて味わいが薄い安ワインです。まともな料理の食前に飲むものではありません。シャンパンと同じ製法のフランチャコルタというスパークリングがあれば、造り手が違っても大外れはないと思います。価格もシャンパンより数割は安い。

白は各州によって土着タネのワインがあるのですが、安いのになぜか有名なエストエストやガビ、ソアベは避けた方が良いでしょう。飲み口があまりに軽すぎるものが多いからです。できましたら、シャルドネ単体か、各州の土着ブドウを混ぜている白ワイン（混醸ワイン）を探してください。フランスものより高くありませんので。

赤はイタリアワインでも結構高い。バローロやブルネッロなどちょっとした有名ものなら１万円を超えてしまいますが、濃厚なワインで良いならばシチリアやサルディーニャのワインを選ぶのも手であります。ただし最近のシチリアワインは何を勘違いしたのか値付けが高くなっておりますから、気をつけてください。シチリアやサルディーニャ、一部を除いてそんなに予算をとる必要はありません。

さて最後にデザートワイン。マールやフィーヌといった蒸留酒がありますが、強いアルコールの摂取は男性的にいろいろと弊害が出てきますから友里は滅多に飲みません。友里のオススメは安いシェリーの一種であるペドロヒメネスという甘口ワインです。見た目は真っ黒で、黒蜜のような味わいもありますが、これがデザートには結構イケるんですね。しかも高額店でもグラスで1000円しないのではないか。店にあればぜひ試してみてください。

客と店の〝キレイごと抜きの〟関係〜あとがきにかえて〜

本書では、前半で性悪店主の本性暴露や偽装紹介など飲食店の悪弊を白日の下に晒し、第4章で店主たちの本音を探ってから後半は逆に我々客側の堕落、人間の欲ゆえに陥ってしまった問題点を提起しました。

また第6章で主役となった関西人でありますが、それは彼らだけではなく我々東京人含め誰もが「根」を持っている問題でもあります。ただ、棲息する数は少ないですが生来の声高で自己顕示欲強い習性があるからか、店主も客も目立ってしまうのが〝関西業界〟。

さらに京都という日本有数のブランドを抱えておりますから、飲食業界では図らずもリーダー的な存在になってしまう。特に和食界の力は大きく、ユネスコの無形文化遺産登録運動の主役を務めたように大きな影響力を持ってしまっているのです。

そのような目立つ関西の飲食店と客の蛮行などを「他山の石」とすることが飲食業界の再生にも繋がると確信しての〝関西DNAを持つ〟友里の関西批判。中には直球すぎて気分を害された箇所があったかもしれませんが、本意をご理解いただきたいと考えます。

また本書では下戸客についても厳しい意見を浴びせました。でも第4章を見ていただければわかるように、店は下戸客を表面上区別していません。が、**すべての客がお茶や水でディナーを通してしまったら、飲食店は経営破綻する**のは事実。つまり酒飲みが落とす飲酒による利益が店の経営を大きく支えているのです。得てして下戸は酒飲みと同等の待遇を求めますが、世が下戸だけになったら店は料理だけで利益を上げなければなりませんから料理価格を現状より上げざるをえない。つまり下戸は客単価の高い酒飲みのおかげで、現状の価格で楽しんでいるという現実を真摯に理解していただきたいのです。そう思えば酒飲みと対等な待遇を要求できるはずがありません。

食材の「偽装」や「粉飾」は、正論で言えば決して許されることではありません。たとえ実業界の取引交渉がほとんど「ウソまみれ」であっても、それを引き合いに正当化できるものではない。しかし、「この魚はどこでとれた何という魚ですか」と店主に聞いて「海でとれた白身です」としか回答されなかったら普通の客はどう感じるか。似たようなやりとりをされて不親切な店主だと憤慨していた客の存在をネットで見たことがあります。「どこそこの海でとれた……」とかの過剰な説明をいちいち要求する、それを期待する客がいるから、産地偽装がここまで拡大してしまったと友里は考えるのです。食べる前に産地や質を先入観として知りたがる客がいなければ、偽装はここまではびこらなかった。

元来店評価とはいかなるものなのか。客側から言わせていただくと、時間やお金の無駄となる、CPの悪い店やまずすぎる店へ行かないためのツールとして公正な立場で存在してもらいたい。しかし飲食店側としては、そんなシビアな店評価やランキングは困る。ヘタすると客が寄りつかなくなりますから。あくまで〝客釣り〟宣伝の一環として、お祭り的な存在であって欲しいのです。

また、店評価やランキングを主宰する者（会社）は、対象となる店側を怒らせ掲載拒否されると商売になりません。店掲載のない評価本（サイト）なんて存在できないからです。

しかも主宰者として利益を上げるのはランキングや店評価への直接的な閲覧ではなく、サイトで店の検索率を上げる、ランキングの中に店名などを潜り込ませて客を引っかける、といった有料サービス。利用者（客）はＴＶの視聴者のようなもので、主宰者の目線は儲けさせてくれる店（スポンサー）にしか向いていないのです。決して客ではありません。

出版社やライターが出す店評価本も同じ。これらの編集者や著者は、はなから店とシビアにやり合う覚悟を持っていない。敵に回すどころか協調路線で良き関係を保ち続けたいと思っているのです。これで飯食っていかなければならないから当たり前です。

人の嗜好はそれぞれ、友里征耶の嗜好もある意味偏っているかもしれません。でもはなからこの稼業での利益捻出を考えていない友里のような変わり者でないと、一般客にとって有益な店評価をすることはできないと自負しているのです。

客（読者）は書き手（評価側）の嗜好をまず理解しなければならない。下戸か酒飲みか、辛いもの好きか甘いもの好きか、化学調味料の添加を許すか許さないか、赤身好きか脂好きか、など人の嗜好は千差万別。ところが世の評価本や評論家は己の嗜好をまったく公開していません。これでは他の口コミサイトや本の評価が自分と合うか合わないか読者はまったくわからず、自分が満足する店にたどり着く可能性はかなり低くなってしまいます。

ちなみに友里の嗜好を簡単に書きますと、酒飲み、化学調味料否定、創作を嫌い郷土色強いものを好む、少量多皿コースは嫌い、最高レベルの料理も好むが基本はコストとのバランスを重視、酒類の良心的値付けの店を評価する。

ゆえに友里の嗜好とかけ離れた読者には、友里の評価はまったく参考にならないのです。

それではそろそろ本書の結論に移ることにします。

キレイごとを極力省き、グルメ界（飲食業界を取り巻く店主や客、ライターなど）の本性を暴いてきた本書でありますが、では我々客はどう飲食店と向き合っていけば良いのか。

偽装や過大パフォーマンスは、飲食店の生き残り策（差別化）として「必要悪」と考えましょう。それをいちいち気にしていたら、外食なんてできません。

広い心でそれら悪習慣を許容し、まずは偽装などがあるとしても気に入った店をジャンル毎に作って定期的に通い続けること。店が常連客を求めるように、客も行きつけの店を持つようにすることです。通い続ければ、店主との関係も良好となるでしょうから、偽装食材の使用は他の客と比べて激減してくると思います。

ただし、リピートすべき店の最低条件は、食材や味付けのトーンが偏らず、四季の変化が楽しめること。引き出しが少なく、いつ行っても同じような料理しか出てこない店に通い続けてしまっては、その人の外食人生は台無しで終わってしまうと考えます。

そして、たまにはそのリピート店の良さを再確認するためにも、他店も訪問することです。万が一、他店と比べてリピート店が劣ると感じたら、変更すれば良いのです。

世には同じ鮨屋にしか行かない人もいます。外食を特定の1店に絞っている人もいるでしょう。でもその偏りは、店にとっても為にならないのです。何事にも言えるのですが「井の中の蛙」に甘んじてはいけません。

おまけ

友里が飲食店主の本音に直撃！

番外編

第４章で料理人の皆様に
直撃取材をさせていただきましたが、
まだまだ興味深いお答えをいただいておりました。
紙幅に限りがございますが、お楽しみください。

【和食料理長に訊く！】

Q1．鰻は「串打ち3年、裂き8年、焼き一生」といいますが、本当にそう思いますか。あんなもの、鰻屋で修業しなくても和食料理人には簡単だと思いますか。

A 職人の心意気としては、そうあるべき、ということでしょう。慢心せず精進するべきであるという教え、戒めですね。しかしどの魚も同じことが言えますので、鰻には限らないですし、鰻が特別に串打ちや裂き、焼きが難しい魚種と言うわけでもありません。その言葉を額面どおりに主張する鰻職人さんがいるならば、不器用な方なんだろうと思いますね。

Q2．鮎をはじめ、天然偽装を行っている店をどのように思いますか。また、天然と似非天然を見分けられない店は結構あると思いますか。

A 絶対にやってはいけないことだと思います。養殖、特に白身の養殖魚はまったく天然魚とは違う香りと味わいです。中華のエビよりひどいです。ランチなんかでは、関西の超が付く有名店、高額店が使っていたりしますけどね。もちろん確実に見分けはつきます。わかってやっているのだから性質が悪いと思います。

Q3．鮨屋で出ているツマミ（炊き合わせや焼き物、お椀など）、和食屋のレベルと比較してどう思いますか。

A 技術的なもので言えば、和食のほうが高度だと思います。しかし技術体系の違いとも言えます。和食は丁寧に繊細にカツオと昆布でダシをひく。鮨はアラだったりします。でも重要なのは到達点です。シンプルな技法でもおいしくなるならそれでいい。鮨屋のつまみでもおいしいものは本当においしいし、まずいものはまずい。和食屋のレベルと比べる意味はありますかね。

Q4．鮨屋のほうが和食屋より魚がいいと言うのは本当ですか

A その通りです。ピンの魚は倍の価格を支払ってでも、超一流の鮨職人は買っていきます。和食屋は、鮨屋以上の調味料、野菜、乾物を買いますが、彼らは、その分魚に資金を投入します。一方で、鮨屋では使わない魚、煮たり焼いたりの魚は和食屋にしかないですから。でもかぶる魚に関しては鮨屋のほうがさらによい魚を買います。

【和食料理長に訊く！】（※スポット参戦）

Q1．鰻は「串打ち3年、裂き8年、焼き一生」と言いますが、本当にそう思いますか。あんなもの、鰻屋で修業しなくても和食料理人には簡単だと思いますか。

A　簡単だとは思いませんがそんな時間は一切いりません。「焼き一生」と言いましても、追い求めれば何事も一生ですし、「裂き8年」とは言え、和食の人間も活けのアナゴを手にかけます。「串打ち3年」は確かに特殊ではありますが、やっていればできますし、何事も時間をかければ良いというわけではありません。鰻だけに特化して技術を身につけることもいいと思いますが、幅広い材料を手に取り、捌き、焼き、としていく中で、様々な良し悪しが見えてまいります。それが和食の強みでもあり専門店の弱みかもしれません。

Q2．鮨屋で出ているツマミ（炊き合わせや焼き物、お椀など）、和食屋のレベルと比較してどう思いますか。

A　店によりけりです。鮨屋でもうまいと思うアワビの焚き物を出すところもあれば、どうしようもないアワビを出す和食屋もあります。しっかりやってきた店は業種を問わずおいしい物を出すのではないでしょうか。ただ、野菜の取り扱いに関してはいかがなものかと思う事もあります。

Q3．鮨屋の原価率は5割以上だと公言する有名高額鮨屋がいます。信じますか。他の鮨屋でも、高級外車を乗り回し、桁違いの年収をとっている店主がいると噂されておりますが、鮨屋は客が入ったらぼろい商売だと思いますか。儲けすぎだと思いますか。

A　儲け過ぎだと思います。その高額鮨屋はわかりませんが、お店によって商売の仕方が違うのは仕方ありません。ただ、鮨屋の原価と和食屋の原価では明らかに違うのではないでしょうか。原価は、食材費だけに限りません。手間暇も考えると、鮨屋と和食屋には差があるように思います。また、高級外車を乗り回すのは結構ですが、あくまでも私たち料理人はホストの立場であり、常にお客様を考えて日々精進しています。いつ何時お客様にお会いしても不愉快な気持ちになっていただかぬよう気を張ることも、おもてなしと言えるのではないでしょうか。

【イタリアン店主に訊く！】

Q1．本来は地域色の強いイタリア料理でありますが、日本には「現地で修業経験のない」シェフがかなり存在しています。逆にそんな店がマスコミやライターに持に持てはやされておりますが、どうお考えですか。本場の修業はイタリアンに必須と考えますか。

A　もちろん現地で修業するに越したことはありません。しかし、「海外修業したという肩書きだけ」のシェフもたくさんいます。一方で「東京イタリアン」と言うべき郷土色のない料理を好む方もたくさんいるのも事実です。私たちと考え方は違いますが、否定すべきものだとは思いません。

Q2．イタリア修業ゼロ、それでもおいしい料理は作れるのですか？

A　おいしい料理を作れるとは思います。しかし、どの地域ではなにを食べ、どんなワインを合わせているのか、そういう世界観を持ち得ないで、海外の食文化を提供できないと考えています。

Q3．海外の牛に比べて、日本の黒毛和牛は極めて脂が強いです。
郷土色をうたう場合、和牛を使うことに矛盾はありませんか。

A　イタリアではキアナ牛が有名ですが、市場の0.001％という占有率です。ほとんど本物は出回っていません。でも正肉であるならば、黒毛和牛より、赤牛あるいはフランスやアメリカのほうがベターですね。黒毛の場合、部位と料理法を選んだ方がいいです。

Q4．イタリアンなのにフランスワインを出す店、飲む客、どう思いますか。

A　うちではシャンパーニュ以外はフランスワインはありません。私がイタリアワインしかわかりませんから、高いサービスをフランスワインでは提供できません。

Q5．日本のワインについて率直なご意見を。店で出す気はありますか。

A　質は向上していますが、CPが悪いですよね。気候風土が違いますから伝統的なイタリア料理とは合わないですね。

Q6．日本にいるイタリア人の料理人、彼らは日本人料理人より上なんでしょうか。

A　伊：まったくそんなことはありません。現地で高く評価される料理人がわざわざ日本に来るとも思いません。

【フレンチシェフに訊く！】

Q1．最近流行の、廉価フランス料理チェーン店。私は「負け組料理人」と称しておりますが、そこの料理人をどう思いますか？　また仮に大金を積まれたら、同チェーンに移籍しますか？

A　私は負け組なんて思いません。何人かは腕のある素晴らしい料理人の方々です。店運営は腕だけではないので、うまくいかなかったのだと思います。…まぁお金には困ってるでしょうけど。私は移籍しません。仕入れも料理も、自分の納得するもので勝負したくて独立するのが料理人です。それを手放す理由がありません。

Q2．低温調理がまだまだ蔓延しております。そのメリットとデメリットを教えてください。また本場フランスでの普及はどうなんでしょうか。

A　メリットは、提供時のブレがないことですね。機械ですから。ただ、オーブンでそれをやるのは、技術要りますよ。デメリットは、味わいにも色調にもグラデーションが出ないですよね。一番温度の高い外側から内に向かって食感や味わいが変わっていく、そのグラデーションがおいしいと思うのですが、均一になってしまいます。ものによって（白系の肉）は低温調理と相性がよいので、それにはフランスでも低温調理をします。

Q3．本場フランスでの修業、必要でしょうか。必要だとして、その修業先はパリか地方（郷土色が強まる）とどちらを優先する方がよいと思いますか。

A　行くべきです。そして地方であるべきです。私はどちらでも修業していますが、学ぶべきフランスの食文化は地方にこそあるものです。パリには極論すると、フランス文化はないです。

Q4．グランメゾンなど大規模＆高額店とビストロ。本場修業先はどちらがよいと思いますか。

A　グランメゾンは純粋なフランス料理とは言い難いことも多いです。本来は土地の風土に根ざした料理です。ですから地方のビストロであるべきです。

Q5．ある銀座のグランメゾンはフランス人シェフに拘っていますが、フランス人に日本人料理人はどうしても敵わないのでしょうか。

A　そんなことありえない。正真正銘のフレンチシェフがわざわざフランスから来るんですかね。技術は日本人はとても高いですよ。私がやったらですか？　厨房やグランメゾンとしてのやり方を学べば、料理的には問題ないですよ。

【中国料理店主に訊く！】

Q1．今回の偽装騒動で、案の定中国料理が槍玉に上がりました。中華の世界では食材の偽装は当たり前なのでしょうか。

A　当たり前じゃなかったですよ。ホテルは中華を筆頭にありがちですけど。でも中華の場合、そもそも大雑把と言うか、おおらかなんです。エビなんて、種類ではなく「大きい」「小さい」でくくることが多いですよね。だから罪悪感というか、こだわりが少ないんですよね。きっと。

Q2．最も化学調味料を使用する料理ジャンルでもありますが、化学調味料のメリットとデメリットを教えてください。

A　メリットは腕の差が出ないこと。同じ味になるので。デメリットはその味しかしなくなることです。

Q3．中国料理はフレンチやイタリアンと違って、本場で修業経験のある人が少ないと思います。中国料理では本場修業がそれほど必要ないのでしょうか。

A　現地で修業するものという文化もきちんとした受け入れ態勢も、修業に行こうと思う人も少ないのが実情です。一方で日本には昔から中国人シェフが来ていますから。それも、修業に行かない理由でしょうね。

Q4．最近目立つ富裕中国人ですが、日本の中国料理店にも多く来店するのでしょうか。

A　コレが来るんですよ。で、おいしいおいしいって言いながら食べますから。日本人と一緒なんだな、って思いますよね。

Q5．MSG抜きとのリクエストがあると思いますが、本当に完全ゼロができるのでしょうか。

A　ラーメン屋さんが無化調っていう時代ですから。そうしないと恥ずかしいですよね。うちは化学調味料はありません。使いません。でもオイスターソースやケチャップが自家製かと言うと違います。そこに入っているケースはありますよね。だから、完全にMSGフリーが可能かというと難しいと思います。

【鮨職人に訊く！】

Q1．高級鮨店の魚は、高級和食店より質がいいと聞きます。本当ですか？

A　高級鮨屋でもそうでもない魚を使っているところはありますから、一概には言えないです。でも、こだわっている店で比べるならば、そう言えます。鮨屋は幸いなことに、和食に比べてお金を出していただけるジャンルなんです。和食で3万円いただく、ということは本当に高いハードルですから、ピンの魚を追求しきれないところはあろうかと思います。ピンの魚を仕入れ続けるというのは想像を絶するほど大変なことです。とにかく買い続けなくてはならない。その魚は今日はいらない、という日でも買い続けなくてはいけない。でなければ、金を積む、という店に持っていかれてしまうんです。そうやって、市場の目利きと関係を築くんです。やっと「いくら金を積まれても、この魚は●●のところにいく」と仲買に言ってもらえるようになる。（使わないピンの魚はどうするの？）まかないです。

Q2．鮨店の調理技術は和食店より簡単で幅が狭く、それゆえ独立も簡単だと聞きますが？

A　覚えなくてはいけないことは、和食の職人のほうが多いですね。でもそれだけで計れるほど簡単じゃない。どちらもやればやるほど難しい、到達点の見えない仕事です。独立に関しては、鮨屋のほうが資金が要らないんですよ。器だったり。

Q3．天然ものしか扱っていないと宣言する鮨屋、信じて良いのでしょうか。

A　信じられますか？　僕は信じられる店も信じられない店もありますけど。シマアジとか、天然っていう店は、あやしいところもあるように思いますけど。

Q4．和食店で握りを出す高額店がよくありますが、どう思われますか。

A　否定はしないです。でも旨いと思ったことは一度もありません。私の店では、汁を出します。ダシもきちんとひきます。でも店の者に「椀として出すな」と徹底しています。ですから塗りの椀では出しません。そこで生きている、勝負している和食の職人に失礼だと思いますから。

Q5．一部の評論家は、食べに来ても支払わない、時には車代などを請求すると聞いたことがあります。本当ですか？　その場合どう対処しますか？

A　噂には聞きますが、私はそんなことはさせないです。でも結果、その方はうまい料理は食べられないですよね。店は材料のいいとこを出さないですから。

【友里に逆質問がきた！】

Q．友里さんの出入り禁止になった3つ星フレンチ、確かに低温調理、特に魚はおいしくないと私も思います。しかし才能あふれる方で、さらによくなる可能性の持ち主だと思います。しかし、出入り禁止になる、そのリスクがあるようなことをすれば、友里さんの愛される「おいしいものを食べる」機会を失うことにつながるではないですか。意見をおっしゃるにしても、関係が断絶しない方法はなかったのでしょうか。店批判することで、なにを得たかったのでしょうか。（鮨職人）

A　低温調理が唯一無二の調理法である、おいしいソースなんていらない、という主張に刃向かった批判を展開しただけです。世には純粋無垢な人が多いので、低温調理以外はダメなのかと思い込むと、その人のフレンチ外食人生が台無しになると確信しています。それを世間に訴えたかったのです。何かを得たかったというのではなく、大きなお世話かもしれませんし自己満足かもしれませんが、そう世間を啓蒙したかっただけです。世のフレンチは低温調理だけではない。もっと美味しい調理法もあるんだぞと。

出禁を避ける方法はなかったかとの質問ですが、フレンチに求めるものがまったく違うようなので（この店は郷土色など皆無）、意見対立は避けられないと思います。

嫌いな料理なら来るな、という主張を彼らはしますが、おっしゃるとおり、「よくなっている可能性」もあるのです。変化しているかもしれないとの検証のため、再訪していたのです。当時までは変化が見られませんでしたが…。

友里に言わせると、批判される、自説を否定される、それがイヤなら、店を出すな、雑誌にしゃべるな、であります。

確かに出禁になった店は数店ありますが、社会人として常識を外した行為や、他のお客に迷惑をかけたという理由のものではありません。強いて言えば、その店を唯一無二と信じる信奉者の夢を壊したという行為はあったかもしれませんけど。

最後に例の低温調理店ですが、最後に訪問した数年前の段階では、デザートにはすごい才能があると思いました。普段あまり食べない友里でもおいしいと思いましたから。しかし肝心の料理（調理技術）は引き出しが少ないと思います。

彼が持論を修正し、多種の調理技術（火入れ方法やソース造り）を習得したらどうなるか、それは経験したいと思いますが、出禁の身ですから無理でありましょう。

また、店にとって客はある意味ワン・オブ・ゼムですが、客の立場でもその低温調理店は数あるフレンチの1店でしかありません。他におもしろい店、おいしい店は国内&海外に多く存在していますから、取材のタネがなくなるだけで、友里はそれほど残念だとは思っておりません。

著者略歴

友里征耶（ともさと・ゆうや）

副業・辛口グルメ評論家、本業・機械商社社長。グルメマスコミと飲食店の馴れ合い・癒着関係に疑問を持ち、覆面・自腹によるレストラン訪問・評論を続ける。「キレイごと抜きでシビア（正直）な評価を下す」そのスタイルから、飲食店から蛇蝎の如く嫌われることも多く、脅迫や出入り禁止宣告を受けることも。また、公私にわたる多数の訴訟経験から、飲食業の因習、悪弊を法的見地から語ることのできる唯一の評論家である。著書に「グルメの嘘」「絶品レストラン」などがある。

角川 SSC 新書 219

堕落のグルメ

ヨイショする客、舞い上がるシェフ

2014年3月25日　第1刷発行

著者　友里征耶
発行者　馬庭教二
発行　株式会社 KADOKAWA
〒102-8177　東京都千代田区富士見 2-13-3
電話　03-3238-8521（営業）
http://www.kadokawa.co.jp/
編集　角川マガジンズ
〒102-8077　東京都千代田区五番町 3-1
五番町グランドビル
電話　03-3238-5464（編集）
印刷所　株式会社 暁印刷
装丁　Zapp! 白金正之

ISBN978-4-04-731641-6 C0295